신개념 스포츠지도사 문제집

시험대비

스포츠심리학

단원별 출제빈도 분석

단원	2015 (전문)	2015 (생활)	2016	2017	2018	2019	2020	2021	2022	누계 (개)	출제율 (%)
제1장 스포츠심리학의 개관	1	2	1	1	1	1				7	4
제2장 운동의 제어	1	1		1	1	2	3		2	11	7
제3장 운동의 학습	2	1	6	3	3	7	7	3	5	33	19.5
제4장 운동의 발달	2	1	1	1	1			2	2	10	5.5
제5장 스포츠수행의 심리적 요인1	2	5	2	4	5	5	4	4	5	36	20
제6장 스포츠수행의 심리적 요인2	6	2	2	3	3	2	2	1	2	23	13
제7장 스포츠수행의 사회 · 심리적 요인	2	4	4	4	3	1	3	3	1	25	14
제8장 건강 · 운동심리학	2	2	4	1	3	1		5	2	20	11
제9장 스포츠심리상담	2	2		2		1	1	2	1	11	6
합계	20	20	20	20	20	20	20	20	20	180	100

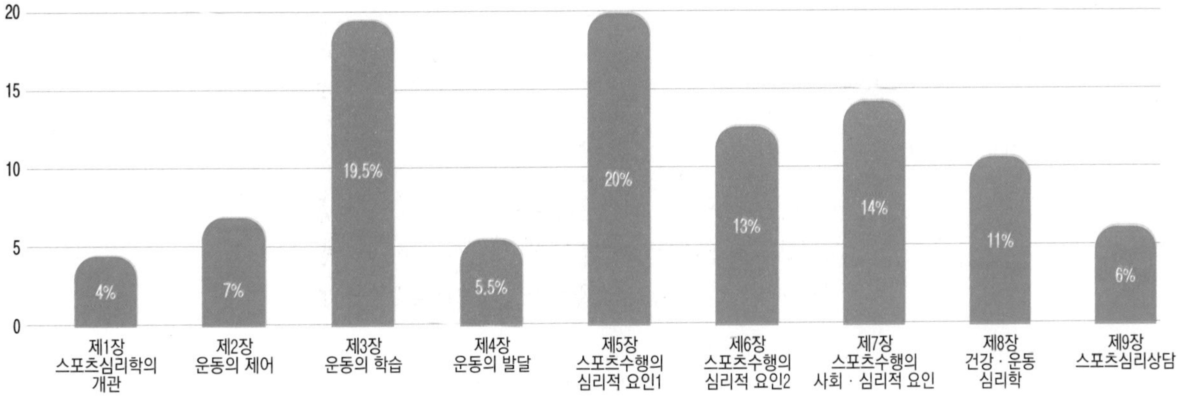

단원별 출제비율 그래프

01 Chapter 스포츠심리학의 개관

스포츠심리학의 정의 및 의미

학자에 따라서 스포츠심리학은 약간씩 차이가 있게 정의한다.

- ☞ 운동경기 또는 스포츠 상황에서 응용하는 심리학의 한 분야이다.
- ☞ 인간의 행동에 대한 스포츠의 효과를 연구하는 학문이다.
- ☞ 스포츠 상황에서의 인간의 행동에 관한 의문점을 해결하려고 하는 스포츠 과학의 한 분야이다.
- ☞ 선수의 경기력 향상에 중점을 두는 심리학의 하위 영역이다.

위의 정의들을 종합하면 스포츠심리학은 "**스포츠 상황에서의 인간 행동을 연구하는 학문이다.**"라고 요약할 수 있다.

스포츠심리학에서 연구하는 영역에 따라서 광의의 스포츠심리학과 협의의 스포츠심리학으로 분류하기도 한다.

운동의 제어	인간의 운동은 어떻게 해서 일어나고, 어떻게 해서 통제하는가?
운동의 발달	태어나서 늙어 죽을 때까지 운동능력은 어떻게 발달하고 쇠퇴하는가?
운동의 학습	인간은 간단한 동작에서부터 복잡한 운동기술까지를 어떻게 배우고 익히는가?
스포츠심리	스포츠상황에서 인간이 하는 행동의 심리적인 원인과 효과는 무엇인가?
건강운동심리	인간은 왜 운동에 참가하고 지속하는가?

위의 5가지 영역을 모두 연구대상으로 하면 광의의 스포츠심리학이라 하고, 스포츠심리 또는 건강운동심리만을 연구대상으로 하면 협의의 스포츠심리학이라고 한다.

스포츠심리학의 역사

1 태동기(1895~1920)

미국의 심리학자 트리플렛(Triplett, N.)이 1898년에 미국 심리학회지에 게재한 "경쟁자 또는 페이스메이커가 있을 때 사이클 선수들이 더 빨리 달린다."는 내용의 논문이 최초의 스포츠심리학 논문으로 간주되고 있다.

그 후 뚜렷한 연구가 없이 체육교사들이 스포츠와 관련된 여러 가지 현상들을 설명하려는 노력을 해왔다.

1920년에 슐테(Schulte)에 의해서 독일체육대학이 설립되면서 스포츠심리학이 관심을 끌기 시작하였고, 1930년에는 모스크바대학과 레닌그라드대학에 스포츠심리학과가 정식으로 개설되었다.

미국과 소련의 메달 경쟁에 힘입어 소련과 동유럽, 그리고 중국, 일본, 한국 등 극동지역에서 스포츠심리학 연구가 활발히 이루어졌지만 체계적인 연구가 되지는 못하였다.

2 그리피스 시대(1921~1938)

그리피스(Griffith, C. R.)는 일리노이대학에서 교육심리학 교수로 재직하면서 스포츠심리학 실험실을 개설하였다. 시각, 주의집중, 반응시간, 근육의 긴장과 이완, 각성상태 등에 대하여 연구하였고, 『코칭의 심리학』과 『선수의 심리학』이라는 책을 발간하였다.

그리피스는 1923년에 일리노이대학에서 스포츠심리학을 최초로 가르쳤기 때문에 스포츠심리학의 아버지로 불리고 있다. 그는 스포츠심리학 발전에 큰 업적을 세웠지만 중간에 스포츠심리학 연구를 그만두었다가, 1938년에 시카고컵스 팀의 스포츠심리 상담사를 맡으면서 다시 스포츠심리학계로 돌아왔다. 그러나 그의 제자 중에 단 한 사람도 스포츠심리학 연구를 계승한 사람이 없기 때문에 '사도 없는 선지자'로 불리기도 한다.

3 준비기(1939~1965)

버클리대학의 헨리(Henry, F.M.)는 1938년부터 여러 가지 스포츠심리학적 요인들이 선수들의 퍼포먼스에 미치는 영향을 연구하기 시작하였다.

그가 1964년에 "체육(Physical education) : 하나의 학문(A discipline)"이라는 논문을 발표하였는데, 그것을 계기로 스포츠심리학뿐만 아니라 체육이 하나의 학문으로 인정받게 되었다.

4 학문적 발달기(1966~1977)

체육이 하나의 독자적인 학문 영역으로 자리매김한 이후부터 스포츠심리학자들은 성격, 불안, 자기존중감 등의 심리적 요인이 스포츠 수행에 어떤 영향을 미치는지, 스포츠활동에의 참여가 개인의 성격과 공격성에 어떤 영향을 미치는지 등에 대하여 연구하기 시작하였다.

1965년에 로마에서 제1회 세계스포츠심리학회(ISSP)가 개최된 다음 나라별 또는 지역별로 스포츠심리학회가 설립되기 시작하였다. ISSP에서는 『세계스포츠심리학회지(IJSP)』를 발간하여 오다가 2003년부터는 『세계스포츠 · 운동심리학회지(IJSEP)』로 이름을 바꾸어서 출판하고 있다.

5 현재의 스포츠심리학(1978~)

1979년에 마텐스(Martens,R.)가 실험실에서 연구한 스포츠심리학 지식을 현장에 적용한다는 것은 굉장히 어려운 일이라고 주장하면서 인터뷰 등 현장연구가 대단히 중요하다고 강조하게 되었다.

그 후 1985년에 응용스포츠심리학발전협의회가 결성되었다가 2007년 응용스포츠심리학회로 개명하였다. 즉 현재는 스포츠심리학을 현장에 적용하여 선수들의 경기력 향상을 도모하려고 하는 응용스포츠심리학 연구가 대세를 이루고 있다. 그 대표적인 예가 각국의 올림픽 또는 월드컵 대표팀에 스포츠심리 상담사를 두고 있는 것이다.

6 우리나라의 스포츠심리학

우리나라에서 개최된 '86 아시안게임과 '88 서울올림픽을 계기로 우리나라의 스포츠과학이 체계를 갖추게 되었다.

그중 하나가 1989년에 한국체육학회의 분과학회로 한국스포츠심리학회가 창립되었고, 2002년에는 한국스포츠심리학회에서 발간한 학술지가 한국학술연구재단에 등재된 학술지로 인정받게 되었다.

7 스포츠심리학에서 자주 쓰이는 연구방법

질문지	주로 특정한 생각, 감정, 행동 등을 측정하기 위해서 만들어진 질문들로 구성되어 있다.
인터뷰	스포츠와 운동 참가자의 신념, 체험, 가치 등을 알아보기 위해서 어떤 특정인을 만나서 직접 대화하는 것. 질문지보다 융통성이 더 크다는 장점이 있지만 연구자도 교육을 받아야 한다.
관찰	스포츠 상황에서 참가자의 활동을 측정하는 방법으로 사용한다.
생리적 측정	바이오피드백과 같이 스포츠 참가자의 신체상태나 심리상태를 나타내는 생리적 지표를 측정한다.
생화학적 측정	혈액이나 소변 등을 생화학적으로 분석해서 스트레스나 정서상태 등을 알아보는 것이다.
내용 분석	자세하게 기록한 자료를 바탕으로 의미있는 내용을 찾아내기 위해서 분석하는 것.

필수 및 심화 문제

필수문제

01 스포츠심리학의 정의로서 적당하지 못한 것은?

① 스포츠상황에서 인간 행동을 연구하는 학문이다.
② 선수의 경기력 향상에 중점을 두는 심리학의 하위영역이다.
③ 광의의 스포츠심리학과 협의의 스포츠심리학으로 나눌 수 있다.
④ 스포츠상황에서 인간의 행동에 관한 의문점을 해결하려고 하는 스포츠과학의 한 분야이다.

■ 스포츠심리학을 광의와 협의로 나누는 것은 스포츠심리학의 정의가 아니다.

심화문제

02 협의의 스포츠심리학에 관한 설명으로 적절하지 않은 것은?

① 심리적 요인이 운동수행에 어떤 영향을 미치는가를 규명하는 분야이다.
② 운동수행과 심리적 요인과의 관계를 연구하는 분야이다.
③ 스포츠나 운동수행이 개인과 팀의 심리적 기능에 어떠한 영향을 주는지 규명하는 분야이다.
④ 인간 운동의 기능적 · 생태적 원리를 포괄하는 운동제어, 운동학습, 운동발달 등을 포함하는 연구분야이다.

■ 협의의 스포츠심리학은 스포츠심리 또는 건강운동심리학을 연구대상으로 한다.
■ 여기에 운동의 제어, 운동의 발달, 운동의 학습을 포함시키면 광의의 스포츠심리학이다.

03 스포츠심리학자의 역할 중 바르지 않은 것은?

① 자신의 연구 성과를 발표하고 검증받기도 한다.
② 운동선수를 대상으로 한 상담만 실시한다.
③ 스포츠심리학, 운동학습, 운동제어, 운동발달 등을 가르친다.
④ 상담을 통해 선수가 필요로 하는 심리기술 훈련을 하기도 한다.

■ 운동선수를 대상으로 상담만 하는 것은 스포츠심리학자의 역할이 아니다.

정답 01 : ③, 02 : ④, 03 : ②

■**운동제어** : 운동을 생성하고 조절하는 기전과 운동의 원리를 규명하는 학문으로, 스포츠심리학의 하위분야임.
■**운동발달** : 운동기능의 발달에 영향을 미치는 유전적 요인과 연령에 따라 계열적 · 연속적으로 변하는 과정과 관계된 것을 연구하는 학문
■**운동심리학** : 스포츠활동에 참여하기 위한 방법과 운동의 심리적 영향에 관해 연구하는 학문
■**건강심리학** : 건강 증진, 건강 위험 요인 분류, 건강 관리 체계 향상, 질병의 예방 및 치료, 건강과 관련된 여론 형성 등 사람의 건강과 연관된 분야의 심리학적 기술을 연구하는 학문

필수문제

04 보기에서 ㉠에 해당하는 스포츠심리학의 하위 분야는?

보기
» 야구에서 공을 잡은 외야수는 2루 주자의 주력과 경기상황을 고려하여 홈으로 송구하기로 결정한다. 그리고 홈까지의 거리와 위치를 확인하고 공을 던진다.
» (㉠) 분야에서는 외야수가 경기상황에서의 여러 정보를 종합 · 판단하여 어떻게 동작을 생성하고 조절하는지와 관련된 원리와 법칙을 밝히는 데 관심을 가진다.

① 운동제어 ② 운동발달
③ 운동심리학 ④ 건강심리학

심화문제

05 보기의 괄호 안에 들어갈 스포츠심리학의 하위영역이 바르게 나열된 것은?

보기
» (㉠)은 지속적인 운동참여와 그것을 통해 얻을 수 있는 개인의 정신건강에 관한 연구 분야
» (㉡)은 운동행동이 연령에 따라 계열적이고 연속적으로 변해가는 과정에 관한 연구 분야

	㉠	㉡
①	응용스포츠심리학	운동발달
②	건강운동심리학	운동발달
③	건강운동심리학	운동학습
④	응용스포츠심리학	운동학습

■스포츠심리학의 연구 영역(p. 2) 참조

06 보기에 해당하는 스포츠심리학의 하위 영역은?

보기
인간의 움직임 생성과 조절에 대한 신경심리적 과정과 생물학적 기전을 밝히는 학문 영역

① 운동학습 ② 운동제어
③ 운동발달 ④ 운동심리

정답 04 : ①, 05 : ②, 06 : ②

07 스포츠심리학의 주요 연구과제에 해당되지 않는 것은?

① 동기유발전략 ② 상담기술 및 방법
③ 체육행정 정책수립 ④ 불안감소전략

■ 체육행정 정책수립은 체육행정학의 분야이다.

08 광의의 스포츠심리학 하위 학문영역으로 옳지 않은 것은?

① 운동발달 ② 운동학습
③ 운동제어 ④ 운동처방

■ 운동처방은 운동생리학의 하위영역이다.

필수문제

09 1964년에 "체육 : 하나의 학문"이라는 논문을 발표하여 체육이 하나의 학문분야로 인정받게 되는 계기를 만든 학자는?

① 트리플렛(Triplett) ② 그리피스(Griffith)
③ 헨리(Henry) ④ 마텐스(Martens)

■ "체육 : 하나의 학문"은 1964년에 헨리(Henry, F. M.)가 발표하였다.

심화문제

10 스포츠심리학의 아버지로 불리우는 그리피스와 관계가 없는 것은?

① 일리노이대학의 교육심리학 교수였다.
② 그의 제자들이 스포츠심리학 발전에 크게 기여하였다.
③ 스포츠심리학 실험실을 개설하고 시각 · 주의집중 · 반응시간 등을 연구하였다.
④ 시카고컵스 팀의 스포츠심리 상담사를 맡아서 일했다.

■ 그리피스의 제자는 단 한 명도 그의 연구를 계승하지 않아 '사도 없는 선지자'로 불린다.

필수문제

11 심리요인이 스포츠 수행에 미치는 영향과 관련된 연구문제로 적당하지 않은 것은?

① 불안이 축구 페널티킥 성공률에 어떠한 영향을 미치는가?
② 자신감의 수준이 아동의 수영학습에 어떠한 영향을 미치는가?
③ 성공/실패의 경험은 골프퍼팅 학습에 어떠한 영향을 미치는가?
④ 태권도 수련 참가는 아동의 성격발달에 어떠한 영향을 미치는가?

■ 태권도 수련 참가는 심리요인이 아니다.

심화문제

12 스포츠심리학 연구에 쓰이지 않는 연구방법은?

① 질문지 ② 인터뷰
③ 사진 분석 ④ 관찰

■ 사진 분석은 운동역학의 연구방법이다.

정답 07 : ③, 08 : ④, 09 : ③, 10 : ②, 11 : ④, 12 : ③

02 Chapter 운동의 제어

운동제어의 개념

인간이 어떤 운동 또는 움직임을 한다고 했을 때, 그 움직임이 저절로 아무렇게나 이루어진다고 생각하는 사람은 없을 것이다. 분명히 어떤 목적이 있고, 그 목적을 달성하기 위해서 의식적 또는 반자동적으로 콘트롤(제어)해서 움직임이 이루어진다. 이때 어떤 원리 또는 어떤 메커니즘에 의해서 인간의 운동이 제어되는지를 알아내려고 하는 것이 운동제어 연구이다.

운동제어를 연구하는 학자들이 문제를 해결하기 위해서 접근하는 방법은 크게 두 가지가 있다. 하나는 정보처리 이론이고, 다른 하나는 생태학적 이론이다.

정보처리 이론(움직임적 접근방법)

정보처리 이론에서는 인간의 행동을 컴퓨터와 비슷하게 생각한다. 즉 컴퓨터에 ① 마우스나 키보드를 이용해서 정보가 입력되면 ② 컴퓨터의 중앙처리장치(CPU)가 그 정보를 처리한 다음 ③ 그 결과를 모니터나 프린터로 출력하듯이, 인간의 운동 또는 움직임은 ① 눈이나 귀와 같은 감각기관을 통해서 정보가 입력되면 ② 대뇌 등 중추신경계통에서 그 정보를 처리한 다음 ③ 근육과 뼈가 움직이는 것이 출력에 해당된다는 것이다.

이때 움직임이 잘못되었다면 수정해야 하는데, 움직임을 수정할 때 필요한 것이 피드백이다. 피드백이란 어떤 움직임을 수행했을 때 그 결과를 시각, 청각, 미각, 후각, 촉각, 고유감각(압력, 온도, 통각, 신체기관의 위치, 자세, 속도 등을 감지하는 감각으로 온 몸에 퍼져 있다.)을 통해서 의도했던 행동과 비교한 다음 오차를 계속해서 줄여나가는 것을 말한다.

생태학적 이론(행동적 접근방법)

인간의 운동을 컴퓨터와 비교하는 것은 말도 안 되는 것이고, 인간은 생물이기 때문에 한 번 했던 행동은 기억이 되고, 그 기억 위에 새로운 행동경험이 점차적으로 쌓여간다는 것이 생태학적 이론이다.

그래서 정보처리 이론에서 말하는 것은 '움직임'이라 하고, 생태학적 이론에서 말하는 것은 '행동'이라고 한다. 그리고 정보처리 이론을 운동적(움직임적) 접근방법, 생태학적 이론을 행동적 접근방법이라고도 한다.

생태학적 이론에서는 어떤 행동을 할 때 여러 개의 근육과 뼈가 서로 균형을 맞추어가면서 조직적으로 움직여야 우리가 원하는 행동이 이루어지는데, 그렇게 하기 위해서 일일이 하나하나의 뼈 또는 근육에 운동명령을 내린다고 하면 우리의 뇌에 너무 많은 부담이 되기 때문에 중요한 1~2가지 변수만 바꾸라고 명령하면 된다고 본다.

생태학적 이론에서는 어떻게 기억을 저장하고, 어떻게 기억을 인출하는지가 중요한 문제가 되는데, 다음과 같은 3단계를 거친다고 주장한다.

▶ 기억체계(지각 단계 → 저장 단계 → 인출 단계)

지각	기억해야 할 내용이 움직임이든 지식이든 관계없이 먼저 알아차려야 하는데, 그것을 '지각'이라고 한다. 감각기관을 통하여 느낀 것을 그대로 기억하지 않고 잘 정리해서 기억하기도 쉽고 나중에 인출하기도 쉽게 만드는 것을 조직화라고 한다. 그러므로 지각은 감각한 것을 조직화하는 단계라고 할 수 있다.
저장	지각한 것을 저장하는 단계로, 사이뇌에 있는 해마가 작용한다고 한다.
인출	저장했던 정보를 다시 끄집어내는 단계로, 회상이라고 한다. 저장과 인출 사이의 시간 간격이 아주 짧은 것을 '감각기억', 감각기억보다 약간 더 긴 것을 '단기기억', 저장과 인출 사이의 기간이 상당히 길거나 일생 동안 계속되는 것을 '장기기억'이라고 한다.

운동프로그램 이론

정보처리 이론을 약간 수정한 것이 운동프로그램 이론이다.

피아니스트가 빠른 속도로 어떤 곡을 연주한다고 할 때, 건반 하나를 눌러서 음을 들어보고 피드백에 의해서 수정한다고 하면 어떻게 음악을 연주할 수 있겠는가 하는 문제가 생긴다. 그래서 생각해낸 것이 피아니스트가 건반을 치는 것은 피드백이 없어도 대뇌에 이미 운동프로그램으로 저장되어 있기 때문에 그 프로그램에 따라 자동적으로 연주한다는 것이다.

정보처리 이론대로 한다면 운동→피드백→수정(제어)→운동→피드백→수정과 같이 계속해서 회로가 빙빙 돌아가야 하기 때문에 폐쇄회로(닫힌회로) 제어라고 한다.

그런데 운동프로그램 이론대로 한다면 대뇌가 일방적으로 운동명령을 내리고 근육과 뼈대는 그대로 움직이기만 하면 된다. 즉 운동명령→실행, 운동명령→실행만 반복하면 되기 때문에 개방회로(열린회로) 제어라고 한다.

▶ 폐쇄회로 이론과 개방회로 이론 비교

폐쇄회로 이론	개방회로 이론
» 정보처리 이론에 의함. » 인간의 기억체제에 저장된 동작이 실제로 실시되는 동작을 수정함으로써 운동이 이루어짐. » 피드백이 동작의 오류를 수정할 때 중요한 역할을 함.	» 운동프로그램 이론에 의함. » 비슷한 운동경험에 의하여 운동프로그램이 저장된다고 봄. » 피드백에 의한 동작 수정이 불필요하므로 빠른 움직임이 가능함.

위의 3가지 이론 중 어느 하나가 옳다고 할 수는 없고, 3가지 이론이 협동적으로 적용되어서 운동제어가 이루어져야 인간의 운동을 설명할 수 있다.

스키마 이론

p.16 참조.

다이나믹시스템 이론(협응 이론)

1 번스타인(Bernstein :1967)

신체움직임의 역학적 특성과 신체에 작용하는 내 · 외적인 힘을 고려하여 인간의 운동체계를 설명하였다. 그는 이러한 두 가지 요인 간의 상호작용으로 인하여 다음과 같은 두 가지 현상이 발생한다고 하였다.

☞ 맥락조건 가변성 : 같은 근육의 수축이 다른 형태의 움직임을 만듦.

☞ 운동 등가 : 다른 근육의 수축이 같은 형태의 움직임을 생성하게 되는 현상

2 뉴웰(Newell :1986)

환경 · 유기체(사람) · 과제의 상호작용 속에서 자기조직의 원리와 비선형성의 원리에 의해서 인간 운동이 생성되고 변화한다고 하였다.

☞ 자기조직의 원리 : 환경 · 유기체 · 과제(제한 요소)의 3가지가 상호작용한 결과가 특정한 조건을 충족할 때 사람은 저절로 운동을 하게 된다는 것으로 인간 행동의 생성원리를 설명함.

☞ 비선형성의 원리 : 제한 요소의 변화에 따라 상변이 현상이 발생한다는 원리임.

운동제어 체계

정보처리 이론이나 운동프로그램 이론에서는 외부세계에서 들이온 자극을 해석하여 반응을 결정하여 효과기에 실제 행동을 실시하도록 명령을 내린 다음 확인 · 수정하는 감각–지각 단계(자극확인 단계) → 반응 · 선택 단계 → 반응 · 실행 단계를 운동제어 체계라 함.

심리적 불응기

☞ 먼저 제시된 자극(1차 자극)에 대한 반응을 수행 중일 때에는 다른 자극(2차 자극)에 대한 반응이 느려진다는 것

☞ 이때 1차 자극과 2차 자극을 하나의 자극으로 간주하게 되는 현상이 나타나는 것을 집단화라고 함

기억체계

☞ 인간은 자기가 한 행동을 기억함으로써 그 기억 위에 새로운 경험이 지속적으로 쌓이게 되는 과정

☞ 기억의 단계 : 지각 단계→저장 단계→인출 단계

필수 및 심화 문제

필수문제

01 운동제어에 대한 설명 중 틀린 것은?

① 인간이 운동 또는 움직일 때 어떤 원리에 의해서 제어되는지 알아보려는 연구분야이다.
② 크게 정보처리 이론과 생태학적 이론으로 나누고, 정보처리 이론의 일부를 수정한 것이 운동프로그램 이론이다.
③ 어느 한 이론으로 인간의 운동을 모두 설명할 수는 없다.
④ 어느 이론이든 반드시 피드백이 있어야 운동을 제어할 수 있다고 본다.

▪운동프로그램 이론에서는 피드백이 필요 없으므로 열린회로 제어 또는 개방회로 제어라고 한다.

필수문제

02 운동제어의 주요 제한요소(constraint)와 거리가 먼 것은?

① 개인 ② 환경
③ 과제 ④ 기술

▪운동제어의 3가지 요소는 개인, 환경, 과제이다.

필수문제

03 정보처리 이론에서 인간과 컴퓨터를 비교한 것이다. 잘못된 것은?

① 입력-음식의 섭취
② 중앙처리장치-중추
③ 출력-프린터, 모니터, 스피커 등
④ 입력-키보드, 마우스 등

▪음식의 섭취는 정보가 입력되는 것이라고 보기 어렵다. 인간의 입력장치는 감각기관이다.

심화문제

04 정보처리단계 중 '반응실행 단계'에 해당하는 내용으로 적절한 것은?

① 실제 움직임을 생성하기 위하여 움직임을 조직화한다.
② 받아들인 정보의 내용을 분석하여 의미를 부여한다.
③ 자극을 확인한 후, 환경특성에 맞는 반응을 선택한다.
④ 환경정보 자극에 대한 확인과 자극의 유형에 대해 인식한다.

▪반응실행 단계는 반응을 실제 행동으로 옮기기 위해서 운동체계를 조직화하는 단계이다.

정답 01 : ④, 02 : ④, 03 : ①, 04 : ①

05 **정보처리 3단계의 관점에서 100m 달리기 스타트의 반응시간이 배구 서브 리시브 상황에서의 반응시간보다 짧은 이유로 옳은 것은?**

① 배구 서브 리시브 상황에서는 자극확인(stimulus identification) 단계의 소요 시간이 상대적으로 짧기 때문이다.
② 100m 스타트에서는 자극확인(stimulus identification) 단계의 소요 시간이 상대적으로 짧기 때문이다.
③ 배구 서브 리시브 상황에서는 반응선택(response selection) 단계의 소요 시간이 상대적으로 짧기 때문이다.
④ 100m 스타트에서는 운동 프로그래밍(motor programming) 단계의 소요 시간이 상대적으로 길기 때문이다.

■ 정보처리 3단계
1. 자극확인(자극분류)
2. 반응 선택
3. 운동프로그래밍(반응프로그래밍)
■ 100m 스타트를 할 때는 자극을 확인하는 시간이 배구 서브 리시브 때보다 짧다.

06 **감각기관을 통해서 느낀 것을 그대로 기억하지 않고 나중에 인출하기도 쉽게 만드는 것을 나타내는 용어가 아닌 것은?**

① 조직화 ② Code화
③ 암호화 ④ 정보화

■ 정보화는 감각기관을 통해 느낀 것을 나중에 인출하기 쉽게 만드는 것이 아니다.

필수문제

07 **빠른 속도의 음악을 피아노로 연주하는 것을 가장 잘 설명할 수 있는 이론은?**

① 정보처리 이론 ② 생태학적 이론
③ 운동프로그램 이론 ④ 어느 이론으로도 설명할 수 없다.

■ 운동프로그램 이론 (p. 9) 참조

필수문제

08 **보기에서 설명하고 있는 운동제어 이론은?**

보기
» 유기체, 환경, 과제의 상호작용 속에서 자기조직의 원리와 비선형성의 원리에 의해 인간의 운동이 생성되고 조절된다.
» 일반화된 운동프로그램과 같은 기억표상의 구조가 필요하지 않다고 주장한다.

① 정보처리이론(information processing theory)
② 도식이론(schema theory)
③ 다이내믹시스템이론(dynamic systems theory)
④ 폐쇄회로이론(closed-loop theory)

■ 다이내믹시스템이론은 인간의 행동은 유기체(인간), 환경, 과제가 역동적으로 상호작용함으로써 생성되고 변화한다는 이론이다(p. 10 참조).

정답 05 : ②, 06 : ④, 07 : ③, 08 : ③

필수문제

09 보기의 ㉠과 ㉡에 들어갈 용어가 바르게 묶인 것은?

보기
» (㉠)은/는 다른 근육군을 사용하여 같은 움직임을 수행할 수 있는 능력을 말한다.
» (㉡)은/는 근육의 활동이 동일해도 조건에 따라 운동결과가 달라질 수 있다는 것이다.

	㉠	㉡
①	운동 등가 (motor equivalence)	맥락 조건 가변성 (context-conditioned variability)
②	운동 등가 (motor equivalence)	자유도 (degree of freedom)
③	맥락 조건 가변성 (context-conditioned variability)	자유도 (degree of freedom)
④	맥락 조건 가변성 (context-conditioned variability)	운동 등가 (motor equivalence)

■**운동 등가** : 주변 상황이 달라도 같은 임무를 수행할 수 있다. 예를 들어 추워도 걸을 수 있고, 따뜻해도 걸을 수 있다.
■**맥락 조건 가변성** : 동일한 근육활동이라도 조건에 따라서 운동결과가 달라질 수 있다는 것으로, 조건에는 해부학적인 요인, 역학적 요인, 생리학적 요인이 있다.
■**자유도** : 근육이 독립적으로 얼마나 움직일 수 있는지에 대한 가능성의 수이다.

필수문제

10 다이나믹 시스템 관점에서의 협응구조 형성에 대한 설명으로 옳지 않은 것은?

① 상변이는 협응구조의 형태가 변화하는 현상이며 선형의 원리를 따른다.
② 제어변수는 질서변수를 변화시키는 원인이 되는 것으로, 동작을 변화시키는 속도나 무게 등이 있다.
③ 협응구조는 하나의 기능적 단위로 자기조직의 원리에 따라 형성된다.
④ 협응구조의 안정성은 상대적 위상의 표준편차로 측정할 수 있다.

■**상변이** : 제한요소의 변화에 따라 협응구조의 형태가 변하는 현상으로, 비선형성 원리이다(p. 10 참조).

정답 09 : ①, 10 : ①

■ 보기는 힉의 법칙임(힉-하이먼의 법칙이라고도 함)
■ ① **피츠의 법칙** : 목표물이 작고 움직이는 거리가 길어질수록 운동시간이 늘어나며, 정확성을 많이 필요로 하면 운동속도가 느려지고, 반대로 속도가 증가하면 정확성이 줄어든다.
■ ② **파워 법칙** : 시간과 연습량이 증가하여 연습시행횟수가 증가할수록 선택반응시간이 감소하여 운동수행능력이 높다.
■ ③ **임펄스 가변성 이론** : 임펄스가 사람의 운동형태를 결정하고, 임펄스의 가변성에 따라 움직임의 정확성이 변한다.

필수문제

11 보기에서 설명하는 개념은?

보기
» 자극반응 대안 수가 증가할수록 선택반응시간도 증가한다.
» 투수가 직구와 슬라이더 구종에 커브 구종을 추가하여 무작위로 섞어 던졌을 때 타자의 반응시간이 길어졌다.

① 피츠의 법칙(Fitts' law)
② 파워 법칙(power law)
③ 임펄스 가변성 이론(impulse variability theory)
④ 힉의 법칙(Hick's law)

■ ㉠ **심리적 불응기** : 한 개의 신경세포가 한 번 흥분한 후 바로 자극을 받으면 즉시 흥분하지 않는 현상임. 보기의 ㉠과 같다.
■ ㉣ **집단화** : 1차 자극과 2차 자극을 하나의 자극으로 간주하는 현상.
■ ㉡ 1차 자극과 2차 자극 간의 시차가 40ms 이하로 짧으면 두 자극을 하나의 자극으로 간주하여 심리적 불응기가 나타나지 않음.
■ ㉢ 페이크 동작의 사용빈도가 높은 운동경기에서 상대의 수비를 교란하려면 페이크 동작 후에 목표로 하는 동작을 재빨리 수행해야 함.

필수문제

12 보기에 제시된 심리적 불응기(Psychological Refractory Period: PRP)에 관하여 옳은 설명으로 묶인 것은?

보기
㉠ 1차 자극에 대한 반응을 수행하고 있을 때 2차 자극을 제시할 경우, 2차 자극에 대해 반응시간이 느려지는 현상이다.
㉡ 1차 자극과 2차 자극간의 시간차가 10ms 이하로 매우 짧을 때 나타난다.
㉢ 페이크(fake) 동작의 사용 빈도를 높일 때 효과적이다.
㉣ 1차와 2차 자극을 하나의 자극으로 간주하는 현상을 집단화라고 한다.

① ㉠, ㉡
② ㉡, ㉢
③ ㉢, ㉣
④ ㉠, ㉣

정답 11 : ④, 12 : ④

03 Chapter 운동의 학습

경험 또는 연습에 의해서 어떤 자극에 대한 반응(움직임 또는 운동)이 변화하는 것을 운동학습이라고 한다.

운동학습 이론

운동을 배운다는 것(학습)은 운동을 더 잘 조절(제어)할 수 있게 되는 것이기 때문에 운동학습 이론과 운동제어 이론은 서로 겹치는 경우가 대부분이다.

1 자극-반응이론(S-R이론)

손다이크(Thorndike, E. L.)가 주장한 최초의 운동학습 이론. 현재는 거의 사용하지 않음.

어떤 자극에 대하여 반응한 결과가 주위로부터 긍정적으로 받아들여지면 강화되고, 부정적으로 받아들여지면 쇠퇴된다. 즉 어떤 자극에 대한 반응이 점점 더 강화되는 것이 학습이라는 이론.

S-R이론에서는 반응을 다음과 같이 3종류로 나눈다.

- ☞ 단순반응……하나의 자극에 대하여 미리 예정된 하나의 동작을 하는 것.
- ☞ 변별반응……2가지 이상의 자극이 동시에 주어졌을 때 어느 하나의 자극에만 반응하는 것.
- ☞ 선택반응……하나의 자극에 대한 여러 종류의 반응 중 하나를 선택해서 반응하는 것.

하나의 자극이 주어진 이후부터 실제로 반응행동이 나타날 때까지의 시간을 반응시간이라 하고, 반응시간은 다음 3가지 시간을 합한 시간이다.

- ☞ 감각지각 시간……정보를 받아들이고, 그 내용을 분석하여 의미를 부여하는 과정. 자극확인 단계라고도 한다.
- ☞ 반응선택 시간……자극에 대한 확인이 끝나고 어떻게 반응할 것인지 결정하는 단계. 숙련자일수록 반응선택 시간이 짧다.
- ☞ 반응실행 시간……실제로 움직임을 생성하기 위해서 운동을 조직하는 단계. 자극이 이중으로 주어지면 병목현상(심리적 불응기)이 일어난다.

2 개방회로 이론(open-loop theory)

제임스(James, W.: 1890)가 운동제어를 설명하기 위해서 제안한 가설로, 반응연쇄 가설(response-chaining hypothesis)이라고도 한다.

어떤 운동을 하기 위해서는 맨 처음 운동을 시작할 때에만 주의가 필요하고, 그다음 동작은 앞에서 이루어진 동작에 대한 반응으로 근육에서 중추로 보내는 구심성 정보, 즉 피드백에 의해서 자동적으로 이루어진다고 주장하였다. 그러면서 피드백이 있기는 하지만 어떤 기준치와 비교해서 동작을 수정하는 것은 아니라고 하였다.

그러나 구심성신경을 제거한 동물이나 사람이 운동을 할 수 있다는 실험결과가 나오면서 힘을 잃게 되었다. 이 이론은 피드백에 의해 동작이 수정되는 것이 아니라 이미 만들어져 있는 운동 프로그램에 의해서 동작이 일방적으로 이루어지므로 **개방회로 이론**이라고 부른다.

3 폐쇄회로 이론(closed-loop theory)

아담스(Adams)가 운동제어를 설명하기 위해 제안한 이론으로, 인간이 운동을 제어하는 것은 구심성 정보의 처리가 핵심적인 역할을 한다는 이론이다.

이 이론이 나오게 된 동기가 된 실험은 직선의 어떤 위치에 천천히 손을 위치시키는 것, 즉 오차를 계속 줄여서 목적한 위치에 도달하는 실험이었는데, 그 결과를 다음과 같이 설명하였다.

어떤 동작을 학습하기 위해서는 기억흔적과 지각흔적이라는 두 가지 기억이 필요하다. 기억흔적은 과거에 경험했던 기억을 떠올린다는 뜻이고, 지각흔적은 옛날에 인식했던 것을 다시 기억해 낸다(재인기억)는 뜻이다.

기억흔적에 의해서 동작을 시작할 때 필요한 방향과 양을 결정해서 동작을 시작하는데, 연습과 피드백에 의해서 기억흔적이 점점 더 정확하게 강화된다. 거기에 과거의 경험에 의해서 팔다리의 감각기관들이 인식하고 있던 지각흔적과 현재의 동작을 하면서 되돌아오는 피드백을 비교해서 점점 더 정확한 위치로 이동하고, 적절한 위치에 팔다리가 위치하여 목적이 달성될 때까지 계속해서 수정한다. 동작이 정확해지면 정확해질수록 지각흔적이 더 유용해질 뿐만 아니라 더 잘 유지된다. 피드백에 의해서 동작이 수정되기 때문에 **폐쇄회로 이론**이라고 한다.

4 일반화된 운동프로그램(generalized motor program : GMP) 이론

☞ 운동 프로그램을 저장할 수 있는 기억용량에는 한계가 있어서 새로운 운동을 배우는 것을 설명할 수 없다는 단점을 극복하기 위한 대안으로 개발되었음.

☞ 특정된 환경에 적응할 수 있도록 움직임 형태의 조절에 관여하는 불변매개변수와 가변매개변수에 의하여 운동 프로그램이 바뀌게 됨.

불변 매개변수	» 프로그램 안에 변하지 않는 상태로 존재함. » **요소의 순서** : 동작이나 반응하는 순서 » **시상** : 근육수축의 시간 구조 » **상대적인 힘** : 근육활동에 필요한 전체 힘의 양을 선택된 각 근육에 적절하게 분배하는 것
가변 매개변수	» **전체 동작 지속시간** : 각각의 동작은 일정하지 않음 » **힘의 총량** : 동원되는 근육의 수축에 의한 힘의 양 » **선택된 근육군** : 동작한 각각의 근육이 운동 프로그램에 저장되지 않고 동작에 따라 다르게 선택되는 것

이 이론을 적용하면 기억 용량 문제와 새로운 운동학습에 관련된 문제는 해결되지만, 수많은 동작을 각각의 도식(스키마)에 저장할 만큼 인간의 기억용량이 무한한지와 경험하지 못한 동작을 어떻게 도식으로 형성하는지에 대한 해답을 할 수 없는 문제가 있음.

5 스키마 이론(schema theory)

슈미트(Schmidt, R.; 1975)가 폐쇄회로 이론에 반대하는 입장에서 제안한 이론.

슈미트의 주장에 따르면 스키마에는 "특정한 운동을 만들어내는 시간패턴과 위치패턴이 들어 있기 때문에 새로운 운동을 학습하려면 일반화된 운동프로그램에다가 몇 가지 새로운 변수만 지정하면 되고, 경험과 목표에 따라서 기존에 있던 일반화된 운동프로그램을 세밀하게 다듬기만 하면 기억용량을 더 늘리지 않더라도 새로운 운동을 학습할 수 있다."고 한다.

스키마 이론에서는 인간이 어떤 운동을 하면 다음 4가지가 스키마로 저장된다고 주장한다.

- ☞ 운동의 초기 조건(예 : 몸과 팔다리의 고유감각 정보).
- ☞ 운동프로그램의 반응명세(일반화된 운동프로그램 안에 들어 있는 힘이나 속도와 같은 변수)
- ☞ 감각결과(운동할 때 보고, 듣고, 느낀 것)……이것을 수행의 지식(knowledge of performance : KP)이라고도 한다.
- ☞ 운동결과(실제로 수행된 운동의 결과에 대한 정보)……이것을 결과의 지식(knowledge of results : KR)이라고도 한다.

그리고 회상 스키마는 여러 가지 반응명세 중에서 특정한 반응을 선택하는 데에 사용되고, 재인 스키마는 느낀 결과에 따라서 반응을 평가하는 데에 사용된다고 한다.

회상 스키마	» 수행하려는 운동과 비슷한 과거의 운동 결과를 이용하여 초기의 조건에 맞도록 속도 · 힘 · 동작의 크기 · 공간 관계와 같은 세부 운동프로그램을 수립하는 것. » 피드백이 작용할 수 있는 빠른 운동에 필요함.
재인 스키마	» 과거의 실제 결과, 감각귀결, 초기조건 등의 관계를 바탕으로 하여 잘못된 동작을 수정 · 평가하는 것(정확성 참조 준거라고도 함). » 200ms 이상의 시간이 걸리는 느린 운동에 관여함.

운동을 하는 동안 계속해서 재인 스키마와 현재 하고 있는 운동에서 예상했던 감각 결과를 비교해서 반응의 효율을 평가한다. 운동이 끝날 때 오차신호(error signal)가 보내지면 감각피드백과 결과의 지식을 근거로 스키마를 수정한다.

요약하면 스키마 이론이란 "어떤 운동을 하면 회상 스키마와 재인 스키마가 계속해서 업데이트되는데, 업데이트되는 과정이 바로 운동학습이다."

운동학습의 과정

운동기술은 형태와 복잡한 정도가 매우 다양하지만, 한 개인이 어떤 운동기술을 습득하는 과정은 대단히 유사하다고 한다. 운동학습의 과정을 구분하면 지도자가 학습자의 행동변화에 따라 제공해야 할 정보의 질과 양을 결정함으로써 효율적인 학습계획 수립에 필요한 정보를 제공한다.

1 피츠(Fitts, P.)와 포스너(Posner, M.)의 학습과정 구분

운동학습의 과정을 정보처리 시점에서 인지 → 연합 → 자동화 과정으로 구분함.

학습과정	특징	필요한 주의력
인지	» 운동과제의 안전한 수행방법학습 » 움직임의 연속성 고려	» 많은 시행착오 주의
연합	» 오류가 줄어듦. » 운동조절을 잘하려는 노력	» 일관되고 효율적인 움직임을 만들기 위한 노력

자동화	» 일관되고 효율적인 움직임이 가능함. » 학습한 운동을 무의식적으로 실시할 수 있음. » 복잡한 과제도 수행 가능함.	» 환경과 과제의 변화에 대한 적응이 필요함.

2 번스타인(Bernstein)의 학습과정 구분

여분의 자유도 활용 정도가 운동학습의 수준을 결정짓는다고 보고 자유도의 활용정도와 운동의 역동적 · 질적 변화에 따라 자유도 고정 → 자유도 이완 → 반작용 활용 과정으로 구분함.

학습과정	특징	필요한 주의력
자유도 고정	» 운동수행에 필요한 신체의 자유도 고정	» 다양하게 변하는 환경의 변화에 적절한 대처가 어려움.
자유도 이완 (자유도 풀림)	» 자유도의 수를 늘려 하나의 기능적 단위(협응 구조) 형성 » 운동수행의 다양성을 기할 수 있음.	» 환경 변화에 쉽게 적응할 수 있어야 함.
반작용 활용	» 내 · 외적 동작 수행을 위한 여분의 자유도 형성 » 운동 수행자와 주위 사람 간의 상호작용에 의해 관성 또는 반작용 현상이 나타남.	» 지각과 동작의 역동적인 순환을 계속 수정하여야 숙련된 동작을 구현할 수 있음.

3 젠타일(Gentile)의 학습과정 구분

학습자가 익혀야 할 운동기술에 관한 정보와 환경 사이의 관련성 및 단계별로 활용할 교수 전략에 따라 움직임 개념 습득 → 고정화 및 다양화 과정으로 구분함.

학습과정	특징	필요한 주의력
움직임 개념 습득	» 운동의 형태에 관한 이해 » 운동의 형태와 환경적 특징 구분	» 정보의 필요성에 따른 구분 필요
고정화 및 다양화	» 운동학습 및 운동기술 향상에 중점을 둠.	» 다양하게 변하는 운동환경과 동작에 필요한 움직임 적응 필요

4 뉴웰(Newell)의 학습과정 구분

운동학습의 단계를 협응구조의 발달에 초점을 두고 협응 → 제어 → 기술 과정으로 구분함.

학습과정	특징	필요한 주의력
협응	» 기본적인 협응동작 형성	» 협응구조의 발달에 주의
제어	» 다양하게 변하는 협응형태 적응	» 협응형태 형성 필요
기술	» 운동과 협응에 필요한 변화 적응	» 변화에 대한 기술적인 대응

운동학습 시 주요 요인

1 운동학습과 기억

학습할 때 획득한 정보를 비교적 장기간 동안 지속적으로 보유하고 있으면서 활용할 수 있는 능력을 기억이라고 한다. 어떤 것을 기억하기 위해서는 뇌에 있는 해마, 시상, 소뇌의 편도체가 함께 작용해야 하고, 다음과 같은 3단계를 거쳐야 한다.

▶ 정보의 부호화

인간이 어떤 정보를 접하면 그 정보에 의미를 부여하기 위해서 시각적으로, 청각적으로, 또는 감각적으로 처리한다. 즉 정보를 기억하기 위해서는 기초 작업부터 먼저 한다(예 : 전화번호를 외우려고 두 번 세 번 보면서 읽는 것은 시각적인 처리, 청각적인 처리, 감각적인 처리를 동시에 하는 것이다).

▶ 정보의 저장

정보를 저장한다는 것은 나중에 그 정보를 회상할 수 있도록 정보를 보존하는 것이고, 단기기억과 장기기억이 있다. 단기기억은 약 30초 동안 기억할 수 있는 것인데, 어른은 동시에 5~9가지 단기기억을 가질 수 있다.

사람이 단기기억을 장기기억으로 전환하려고 어떤 방법으로든 노력을 하면 단기기억의 일부가 장기기억으로 변한다. 장기기억은 상대적으로 오랜 시간 동안 또는 일생 동안 기억할 수 있으며, 아무 때나 필요하면 회상해낼 수 있다.

▶ 정보의 인출

정보를 인출한다는 것은 저장된 정보를 끄집어내는 것이며, 기억하지 못한다는 것은 인출하지 못한다는 뜻이다. 단기기억은 순서대로 저장되어 있기 때문에 순서대로 인출해야 하고, 장기기억은 연상에 의해서 저장되어 있기 때문에 연상에 의해서 인출해야 한다.

단기기억에 있는 단어 중에서 '4번째 단어를 인출하려면 첫 번째 단어부터 차례로 기억해내야 하고, 장기기억에 있는 침실로 가는 길'을 인출하려면 그냥 침실로 가면 된다.

2 운동지능의 개발(향상)

우리가 흔히 "운동신경이 발달되었다."라고 하는 말을 학문적으로는 "운동지능이 좋다."라고 한다. 배우기 시작하는 나이, 학습기간, 교사(지도자), 장비, 학습진도 등이 운동지능의 개발에 영향을 미친다.

☞ 학교에 가기 전부터 배우는 것이 유리하고, 처음 배울 때에 정확하게 배워야 나쁜 습관이 생기지 않는다.

☞ 연습을 하지 않으면 운동기술을 배우기 어려울 뿐만 아니라 몸에 익힐 수도 없다. 운동기술을 연습할 수 있도록 충분한 시간을 주어야 한다.

☞ 운동 지도의 경험이 있고 자격이 있는(트레이닝을 받은) 지도자로부터 배워야 한다. 수학선생님이나 음악선생님과 체육선생님은 다르다.

☞ 질이 좋은 장비를 사용해야 한다. 예를 들어 어린이의 몸에 맞도록 칫수를 줄인 장비를 사용

해야 안전할 뿐만 아니라 학습효율도 올라간다.

☞ 간단한 작업에서 복잡한 작업으로 나아가듯이 올바른 방향으로 학습이 조직되어 있어야 이해하기도 쉽고 배우기도 쉽다.

3 운동학습과 피드백

운동하는 도중에 또는 운동한 결과로 생겨난 정보를 피드백 정보라 하고, 피드백 정보가 운동학습의 효율에 가장 큰 영향을 미친다. 피드백 정보는 아래 그림과 같이 분류한다.

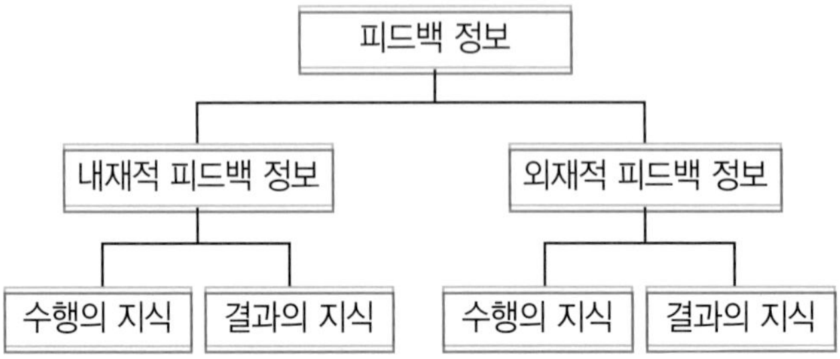

☞ 내재적 피드백……운동을 수행함으로써 자동적(자연적)으로 생기는 정보이다. 테니스볼을 칠 때 팔을 펴야 한다는 것은 수행의 지식에 해당되고, 친 볼이 상대방 코트에 떨어지는지 쳐다보는 것은 결과의 지식에 해당된다.

☞ 외재적 피드백……운동수행이 끝난 다음에 다른 사람 또는 어떤 도구에 의해서 학습자에게 제공되는 정보이다. 저절로 생기는 내재적 피드백보다 학습자에게 더 유용한 경우가 많기 때문에 보강피드백이라고도 한다. 외재적 피드백에 속하는 결과의 지식은 농구에서 슈팅한 결과와 같이 결과가 분명한 것은 별 효용이 없고, 다이빙의 점수와 같이 결과가 분명하지 않을 때에는 아주 중요하다. 외재적 피드백에 속하는 수행의 지식은 동작을 수행하기 위해서 필요한 지식이다. 예를 들어 "볼에서 눈을 떼지 말라!" 또는 "스윙이 약간 늦었다." 하는 것 등이 있다.

피드백은 동기를 부여하는 특성이 있다. 특히 외재적 피드백은 학습자의 동기를 유발하고 오차를 수정하는 역할을 한다. 그러므로 교사(지도자)는 잘못을 지적할 수 있는 능력뿐만 아니라 정확한 동작이 이루어지도록 보강하는 능력도 있어야 한다.

피드백이 버팀목의 역할을 할 수도 있다. 가끔씩 피드백을 주면 대개 학습을 강화시키지만 장기간 동안 계속해서 피드백을 주면 의존성만 키울 수도 있다. 의존성을 최소화하는 피드백 방법에는 다음과 같은 것들이 있다.

☞ 기술의 정도가 낮을 때에는 피드백을 많이 주고, 기술의 정도가 높아지면 점차적으로 피드백을 줄인다(점감 피드백).

☞ 정확한 것보다 약간 더 넓은 피드백을 준다(광폭 피드백). 그러면 점감피드백을 주기 쉽게 되고, 피드백을 자주 줄 필요가 없기 때문에 오히려 학습자의 동기를 강화시키는 효과도 있다.

☞ 잘못이 있을 때마다 피드백을 주지 않고, 일정 기간이 지나거나 일정량 이상으로 잘못이 생기면 피드백을 준다(요약 피드백). 그러면 학습자가 피곤해 하는 것을 피할 수 있고, 동작을 매

번 수정하지 않으므로 동작에 일관성이 생길 수 있다.

▶ 운동학습 과정에 피드백을 주는 원리(방법)

☞ 학습단계별로 피드백이 달라야 한다. 즉 인지단계에는 반드시 피드백을 주어야 하고, 연합단계에는 점감피드백, 광폭피드백, 요약피드백 등을 주어야 하며, 자동화단계에는 피드백을 점차 없애야 한다.

☞ 새로운 운동을 배울 때에는 학습자의 두뇌에 과부하가 걸리기 쉬우므로 한 번에 한 가지씩만 지적하는 선택적 · 집중적 피드백을 주어야 한다.

☞ 피드백의 정확도에 따라서 서술적 피드백과 지시적 피드백으로 나눌 수도 있다. "왜 폴로스루를 안 하지?"와 같이 옳고 그름만을 이야기하는 것이 서술적 피드백이고, "폴로스루를 할 때 손목에 스냅을 더 주어라."와 같이 수정해야 할 것을 정확하게 지시하는 것이 지시적 피드백이다. 서술적 피드백이 학습 초기에는 더 좋은 것 같이 보이지만, 결국에는 지시적 피드백의 효과가 더 좋아진다.

☞ 피드백을 주는 시기에 따라서도 학습효과가 달라진다. 특히 단기기억은 잃어버릴 가능성이 대단히 크기 때문에 빨리 피드백을 주어야 한다. 일반적으로 피드백을 주는 시기가 늦어지면 늦어질수록 피드백의 효과가 줄어든다. 그러므로 즉각적인 피드백이 유리하다.

4 운동학습의 전이

이미 학습한 운동을 새로운 운동의 학습에 이용하거나 새로운 조건에 맞도록 수정할 수 있는 능력을 '전이'라고 한다. 운동 사이에 유사성이 많을수록 전이가 잘된다.

전이의 유형은 다음과 같이 나눌 수 있다.

▶ 긍정적 전이와 부정적 전이(정적 전이와 부적 전이)

한 가지 과제의 수행이 다른 과제의 수행을 돕거나 촉진시키는 것을 긍정적 전이, 그 반대를 부정적 전이라고 한다. 다음 표는 전이에 영향을 미치는 요인과 긍정적 · 부정적 전이의 예를 든 것이다. 한 운동이 다른 운동의 학습에 전혀 영향을 미치지 않는 경우를 '영전이'라고 한다.

전이에 영향을 미치는 요인과 긍정적(정적) · 부정적(부적) 전이의 예

전이에 영향을 미치는 요인	긍정적 전이의 예	부정적 전이의 예
동작 · 반응의 패턴 (예 : 테니스와 배드민턴)	라켓과 네트라는 변인이 서로 비슷하다.	볼 vs 셔틀콕이 다르다.
심동적인 필요사항 (예 : 조정과 카약)	물, 동적 평형, 협동 등이 비슷하다.	배의 크기와 평형의 수준이 다르다.
인지적 필요사항 (예 : 농구와 핸드볼)	목표(골을 넣는 것)가 비슷하다.	코트에서 이동하는 방법이 다르다.
생체운동적 필요사항 (예 : 단거리와 멀리뛰기)	폭발적인 파워가 필요하다는 것이 비슷하다.	뛰기에는 이륙이 없다.
심리학적 필요사항	양궁과 다트놀이는 모두 주의의 초점이 좁다는 것이 비슷하다.	하키와 유도는 주의의 이동이 다르다.

▶ 전이 전략

긍정적인 전이를 늘려서 학습효과를 극대화시키기 위한 전이전략에는 훈련기구, 연습방법, 사전활동, 정신연습 등이 있다.

훈련기구 또는 시뮬레이터	수행해야 할 작업과 가능한 한 유사해야 긍정적인 전이가 많아진다. 움직임뿐만 아니라 지각적인 사항과 개념적인 사항까지도 유사해야 효과가 더 좋다.
연습방법	전습법과 분습법을 적절히 활용한다(예 : 민첩성 훈련, 지각훈련, 균형잡기 훈련 등).
정신연습	실제로 몸을 움직이지는 않고 마음속으로 목적하는 운동을 수행해본다.

운동학습과 연습

운동을 학습하기 위해서는 반드시 연습이 필요한데, 연습하는 방법에는 다음과 같은 방법들이 있다.

1 전습법과 분습법

분습법	운동 기술의 요소를 하나씩 연습한다. 최종적으로는 전체적인 기술로 전이해야 한다. 연속적으로 이어지고, 상대적으로 긴 시간 동안 수행해야 하는 기술의 연습에 효과적이다.
전습법	하나의 운동기술을 전체적으로 연습한다. 운동의 요소들이 서로 긴밀하게 상호작용을 하고, 비교적 짧은 시간 동안에 운동 수행이 끝나는 기술의 연습에 효과적이다. 운동의 요소들을 따로따로 연습하면 그 기술의 근본이 바뀌어버리는 경우도 있다.

2 점진적 부분연습법

복잡한 기술을 잘게 나눈다. → 부분을 좀 더 큰 단위로 묶는다. → 부분들을 전체적인 운동으로 연쇄시킨다.

기술의 요소들 사이에 강력한 상호작용이 있어서 부정적인 전이가 생길 우려가 있을 때 사용한다. 테니스 서브와 같이 연속적인 동작을 연습할 때 효과적이다.

3 구획연습과 무선연습

구획(분단) 연습	운동기술의 하위 요소들을 순차적으로 연습한다. 한 동작을 여러 번 반복 연습한 다음에 다음 동작으로 넘어간다. 학습자가 특정한 문제를 수정할 수 있고, 한 번에 한 가지 기술씩 차례로 세련되게 다듬을 수 있다. 정확한 동작 습관이 필요한 경우 연습 초기에 실시하면 효과적이다. 맥락간섭효과가 낮아 운동수행 효과가 높다.
무선 연습	운동기술의 하위 요소들을 순서 없이 임의대로 연습한다. 학습자가 어떤 운동기술에 일단 숙련이 된 다음에는 대단히 효과적이다. 맥락감섭효과가 높아 파지와 전이에 효과적이다.

※ 맥락간섭효과……어떤 운동을 연습할 때 다른 운동의 개념을 응용해서 연습하면 서로 간섭을 일으켜서 인지능력이 떨어지는 현상

4 집중연습과 분산연습

집중연습	연습과 연습 사이에 쉬는 시간이 상대적으로 짧다.
분산연습	연습시간에 비해서 쉬는 시간이 상대적으로 길다. 휴식시간이 짧아지면 신체와 중추신경계통이 피로를 회복할 수 있는 시간도 줄어든다. 모든 운동학습에 알맞은 운동-휴식 시간의 비율은 없으므로 지도자가 학습자의 상태를 보아가면서 조절해야 한다.

5 연습계획 작성 시 유의할 점

- ☞ 참여하는 사람 모두가 학습하기에 알맞도록 작성해야 한다.
- ☞ 학습자들의 기술 수준에 맞추어서 작성해야 한다. 학습자들의 잠재적인 능력을 임의대로 판단해서 작성하면 안 된다.
- ☞ 학습자들의 성숙도, 선행경험, 체력수준 등도 고려해야 한다.
- ☞ 학습자들의 동기를 유발할 수 있도록 작성해야 한다.
- ☞ 학습자가 목표를 설정하도록 격려하고, 훌륭한 시범을 보이고, 시각적인 도움을 주어야 한다.
- ☞ 동기가 강한 학습자는 연습을 할 때 더 많이 노력하고, 더 오랜 시간 동안 연습하고, 더 많이 배운다.
- ☞ 효과의 법칙……유기체는 보상받은 반응은 반복하려 하고, 벌을 받거나 보상받지 못한 반응은 피하려 한다.

운동학습과 파지

운동연습으로 향상된 수행능력을 오랫동안 유지할 수 있는 능력을 파지라고 한다.

파지에 영향을 미치는 요인

운동과제의 특성	운동기술의 학습과 파지에 가장 큰 영향을 미치는 것은 운동과제의 특성이다.
환경의 특성	환경적 제한요소가 운동기술의 학습에 영향을 미치고, 환경적 제한요소에 대한 적응이 운동기술의 파지에 영향을 미친다.
학습자의 특성	개개인의 특성에 따라 운동기술의 파지에 차이가 나타난다.
연습량	연습량은 운동기술의 학습과 파지에 영향을 미친다. 그러나 일정한 수준의 운동기술에 도달하면 연습량이 증가하여도 운동기술의 학습에 영향이 거의 없다. 그러므로 운동기술을 배운 다음에는 파지에 필요한 만큼만 연습해도 된다.

필수 및 심화 문제

필수문제

01 **보기**의 괄호 안에 들어갈 용어가 바르게 연결된 것은?

보기
(㉠)은 숙련된 운동수행을 위한 개인능력의 (㉡) 변화를 유도하는 일련의(㉢)과정으로, 직접적으로 관찰할 수 없으며 연습과 경험에 의해 나타난다.

	㉠	㉡	㉢
①	운동학습	영구적	내적
②	운동학습	일시적	외적
③	운동발달	영구적	내적
④	운동발달	일시적	외적

■**운동학습**은 경험 또는 연습에 의해 어떤 자극에 대한 반응(움직임 또는 운동)이 변화하는 것이다. 이때 개인능력의 **영구적인** 변화가 유도되어야 하는 일련의 **내적** 과정이다.

필수문제

02 **운동학습의 개념에 대한 설명으로 옳지 않은 것은?**

① 운동학습은 연습과 경험에 의해서 나타난다.
② 운동학습 과정은 직접적으로 관찰할 수 없다.
③ 운동학습은 비교적 영구적인 변화를 유도하는 내적과정이다.
④ 운동학습은 성숙이나 동기에 의한 일시적 수행 변화를 말한다.

■운동학습은 일시적인 수행 변화가 아니고, 비교적 오래 동안 유지되는 수행의 변화이다.

심화문제

03 **운동학습의 정의 및 특성에 대한 설명으로 옳지 않은 것은?**

① 학습과정 그 자체를 직접 관찰할 수 있다.
② 신경가소성(neural plasticity)의 특성을 나타낸다.
③ 비교적 영구적인 운동수행의 향상으로 나타나는 일련의 내적 과정이다.
④ 연습과 경험에 의해서 나타나는 현상이며, 성숙이나 동기 또는 훈련 등에 의해 일시적으로 변화하는 것은 포함하지 않는다.

■운동학습은 직접 측정할 수 없다. 행동을 통하여 간접적으로 측정·평가할 수 있다.

정답 01 : ①, 02 : ④, 03 : ①

04 운동학습에 대한 설명이다. 잘못된 것은?

① 경험 또는 연습에 의해서 어떤 자극에 대한 반응(움직임)이 변화하는 것을 운동학습이라 한다.
② 운동학습에 의한 변화는 반드시 오랫동안 보존되어야 한다.
③ 어떤 자극에 대한 반응이 긍정적으로 받아들여지면 더욱 더 강화되는 것이 운동학습이라고 주장하는 것이 자극-반응이론이다.
④ 개방회로 이론과 폐쇄회로 이론은 운동제어에 관한 이론이지만 운동학습도 설명하는 이론이다.

■운동학습은 반드시 오래 보존되어야 하는 것은 아니다. 또 영구히 보존되는 장기기억도 있지만, 어느 정도 시간이 지나면 잊어버리는 단기기억도 있다.

필수문제

05 반응시간을 설명한 것이다. 가장 옳은 것은?

① 정보를 받아들이는 데에 소요되는 시간이다.
② 반응을 선택하는 데에 소요되는 시간이다.
③ 반응행동을 만드는 데에 소요되는 시간이다.
④ 자극이 주어진 이후부터 실제로 반응행동이 나타날 때까지 소요되는 시간이다.

■①은 감각지각 시간, ②는 반응선택 시간, ③은 반응실행 시간, ④는 반응시간이다.

심화문제

06 운동학습 이론에서 정보처리단계를 순서대로 바르게 연결한 것은?

① 감각지각→반응실행→반응선택　② 감각지각→반응선택→반응실행
③ 반응선택→감각지각→반응실행　④ 반응선택→반응실행→감각지각

■운동학습이론에서 정보처리단계는 감각지각→반응선택→반응실행이다.

07 보기의 정보처리 과정과 반응시간의 관계에서 ㉠~㉢에 들어갈 단계가 바르게 연결된 것은?

보기

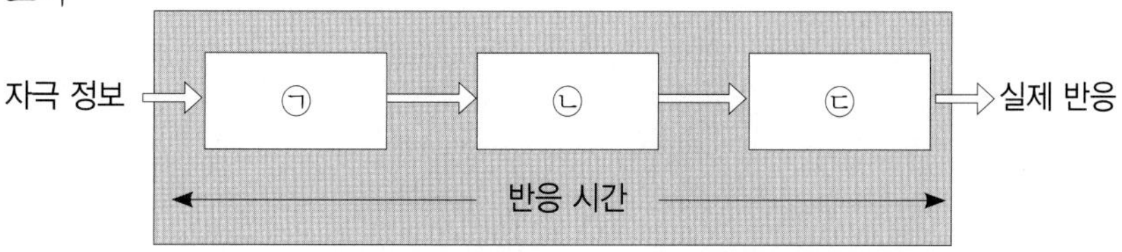

	㉠	㉡	㉢
①	의사결정 단계	반응선택 단계	반응실행 단계
②	의사결정 단계	반응실행 단계	반응선택 단계
③	감각, 지각 단계	반응선택 단계	반응실행 단계
④	감각, 지각 단계	반응실행 단계	반응선택 단계

정답 04 : ②, 05 : ④, 06 : ②, 07 : ③

필수문제

08 자극에 대한 반응을 단순반응, 변별반응, 선택반응으로 나눈다고 할 때 선택반응에 해당되는 것은?

① 하나의 자극에 대하여 하나의 반응을 하는 것
② 두 가지 이상의 자극이 주어졌을 때 하나의 자극에만 반응하는 것
③ 하나의 자극에 대한 반응이 여러 가지가 있을 때 어느 하나의 반응을 선택해서 반응하는 것
④ 두 가지 이상의 자극이 주어지고 반응도 두 가지 이상이 있을 때 어느 하나의 반응을 하는 것

■ p. 15 참조

심화문제

09 반응시간(reaction time)의 유형이 아닌 것은?

■ **반응시간의 3가지 유형**
1. 변별반응시간
2. 단순반응시간
3. 선택반응시간

① 변별반응시간(discrimination reaction time)
② 단순반응시간(simple reaction time)
③ 자유반응시간(free reaction time)
④ 선택반응시간(choice reaction time)

10 보기의 ㉠, ㉡, ㉢에 해당하는 것은?

보기

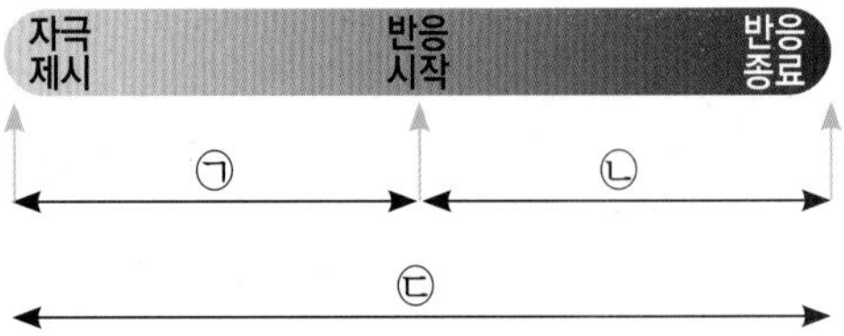

» ㉠은 자극 제시와 반응 시작 간의 시간 간격을 의미한다.
» ㉡은 반응 시작과 반응 종료 간의 시간 간격을 의미한다.
» ㉢은 자극 제시와 반응 종료 간의 시간 간격을 의미한다.

	㉠	㉡	㉢
①	반응시간 (reaction time)	전체 반응시간 (response time)	움직임 시간 (movement time)
②	움직임 시간 (movement time)	반응시간 (reaction time)	단순 반응시간 (simple reaction time)
③	반응시간 (reaction time)	움직임 시간 (movement time)	전체 반응시간 (response time)
④	전체 반응시간 (response time)	움직임 시간 (movement time)	반응시간 (reaction time)

■ **반응시간** : 하나의 자극이 주어진 이후부터 실제로 반응행동이 나타날 때까지의 시간
■ **움직임 시간** : 반응이 시작한 시간부터 반응이 종료될 때까지의 시간

정답 08 : ③, 09 : ③, 10 : ③

필수문제

11 **시각탐색에 사용되는 안구 움직임의 형태로 옳지 않은 것은?**

① 지각의 협소화 ② 부드러운 추적 움직임
③ 전정안구반사 ④ 빠른 움직임

■① 지각의 협소화 : 각성수준의 증가로 주의를 기울일 수 있는 범위가 좁아지는 현상
■안구 움직임의 형태
· 부드러운 추적 움직임 : 목표를 추적하는 것.
· 전정안구반사 : 사물을 볼 때 눈이 먼저 가고, 머리가 따라 감.
· 빠른 움직임 : 재빠르게 움직이는 기능
· 움직임의 조화 : 빠른 움직임과 추적움직임을 적절하게 조화하는 기능

필수문제

12 **보기의 운동수행에 관한 예시를 가장 잘 설명하고 있는 이론은?**

보기
테니스 서비스는 공을 서비스 코트에 떨어뜨려야 한다. 퍼스트 서비스가 너무 길어 폴트가 된 것을 본 후, 손목 조절을 위해 시각 및 운동감각적 피드백을 이용하여 세컨드 서비스에서 공이 서비스 코트를 이탈하지 않도록 한다.

① 폐쇄회로 이론 ② 개방회로 이론
③ 다이나믹 시스템 이론 ④ 생태학적 이론

■피드백 정보를 이용해서 동작을 수정하는 것이 폐쇄회로 이론이다.

필수문제

13 **보기에 제시된 일반화된 운동프로그램(Generalized Motor Program: GMP)에 관한 설명으로 바르게 묶인 것은?**

보기
㉠ 인간의 운동은 자기조직(self-organization)과 비선형성(nonlinear)의 원리에 의해 생성되고 변화한다.
㉡ 불변매개변수(invariant parameter)에는 요소의 순서(order of element), 시상(phasing), 상대적인 힘(relative force)이 포함된다.
㉢ 가변매개변수(variant parameter)에는 전체 동작지속시간(overall duration), 힘의 총량(overall force), 선택된 근육군(selected muscles)이 포함된다.
㉣ 환경정보에 대한 지각 그리고 동작의 관계(perception-action coupling)를 강조한다.

① ㉠, ㉡ ② ㉠, ㉢ ③ ㉡, ㉢ ④ ㉢, ㉣

■㉡(불변매개변수)과 ㉢(가변매개변수)은 일반화된 운동프로그램의 구성요소임.
■㉠은 다이나믹시스템 이론의 내용임.
■㉣은 생태학적 이론의 내용임.

정답 11 : ①, 12 : ①, 13 : ③

필수문제

14 **프로차스카(J. Prochaska)의 운동변화단계 이론(Iranstheoretical model)에 대한 설명으로 옳지 않은 것은?**

① 인지 과정과 행동 과정과 같은 변화과정을 통해 이전 단계에서 다음 단계로 이동하게 된다.

② 의사결정 균형이란 운동을 할 때 기대할 수 있는 혜택과 손실을 평가하는 것을 의미한다.

③ 준비단계는 현재 운동에 참여하지 않지만, 6개월 이내에 운동을 시작할 의도가 있는 것을 의미한다.

④ 자기효능감은 관심단계보다 유지단계에서 더 높다.

■ **프로차스카(J. Prochaska)의 운동(행동)변화 단계 이론**

(1) **사전(무관심) 단계** : 변화의 가장 초기 단계로, 변화를 고려하지 않고 있다. 현재 운동을 하지 않고 있으며, 6개월 이내에 운동을 시작할 의사가 없다.

(2) **계획(관심) 단계** : 변화를 통해 얻을 수 있는 잠재적 혜택을 의식하지만, 혜택보다 비용이 더 크게 보인다. 문제점을 인식하고 변화를 심각하게 생각한다. 행동에 대한 자신의 감정을 평가하는 재평가가 필요하며, 6개월 이내에 운동을 시작할 의도가 있다고 본다.

(3) **준비 단계** : 계획이 수립되면 실행을 위한 준비가 필요하며, 큰 변화를 위해 작은 변화를 시작하는 단계이다. 현재 운동은 하고 있지만, 운동에 대한 지침은 충족되어 있지 않다.

(4) **행동(실천) 단계** : 목표를 달성하기 위해 직접 행동을 시작하는 단계이다. 운동지침을 충족시킬 수 있는 수준의 운동은 하고 있으나, 실천기간은 6개월 미만이다.

(5) **유지 단계** : 변화를 계속할 수 있다는 확신을 갖게 된다. 새로운 행동을 유지하는 경우에는 유혹을 피할 수 있는 방법을 찾는다. 오래된 습관을 보다 긍정적인 행동으로 대체할 수 있으며, 운동지침을 충족하는 수준의 운동을 6개월 이상 해왔다.

■ **재인도식**(재인 스키마) : 피드백 정보를 이용하여 잘못된 동작을 수정 · 평가함(과거의 실제 결과, 감각귀결, 초기조건의 관계를 바탕으로 함). 느린 움직임을 조절할 때 동원됨.

■ **회상도식**(회상 스키마) : 현재 하고자 하는 운동과 비슷한 과거의 운동 결과를 이용하여 새로운 운동을 계획하는 것. 빠른 움직임을 조절할 때 동원됨.

■ 200ms 이상의 시간이 걸리는 느린 운동 : 회상 도식과 재인 도식이 모두 동원됨.

필수문제

15 **보기에 제시된 도식이론(schema theory)에 관하여 옳은 설명으로 묶인 것은?**

보기

㉠ 빠른 움직임과 느린 움직임을 구분하여 설명한다.

㉡ 재인도식은 피드백 정보가 없는 빠른 운동을 조절하는 역할을 한다.

㉢ 회상도식은 과거의 실제결과, 감각귀결, 초기조건의 관계를 바탕으로 형성된다.

㉣ 200ms 이상의 시간이 필요한 느린 운동 과제의 제어에는 회상도식과 재인도식이 모두 동원된다.

① ㉠, ㉡ ② ㉡, ㉢

③ ㉠, ㉣ ④ ㉢, ㉣

정답 14 : ③, 15 : ③

필수문제

16 보기에 제시한 피츠(P. Fitts)와 포스너(M. Posner)의 운동학습단계와 설명이 바르게 나열된 것은?

보기

운동학습단계	ⓐ 인지단계 ⓑ 연합단계 ⓒ 자동화단계
설명	㉠ 동작 실행 시 의식적 주의가 거의 필요없으며 정확성과 일관성이 매우 높다. 동작에 대한 오류를 탐지하고 수정할 수 있는 능력이 있다. ㉡ 학습해야 할 운동기술의 특성을 이해하고 그 과제를 수행하기 위한 전략을 개발한다. 오류 수정 능력을 갖추지 못했기 때문에 운동수행 시 일관성이 부족하다. ㉢ 과제에 대한 전략을 선택하고 잘못된 수행에 대한 해결책을 찾아 나갈 수 있게 된다. 동작의 일관성이 점점 좋아진다.

① ⓐ-㉠, ⓑ-㉡, ⓒ-㉢
② ⓐ-㉡, ⓑ-㉠, ⓒ-㉢
③ ⓐ-㉢, ⓑ-㉡, ⓒ-㉠
④ ⓐ-㉡, ⓑ-㉢, ⓒ-㉠

■인지단계 : 동작이 느리고, 일관성이 없고, 비효율적이다.
■연합단계 : 동작이 유창하고, 신뢰성이 있으며, 일부는 의식적으로, 일부는 자동적으로 조절된다.
■자동화단계 : 동작이 정확하고, 일관성이 있으며, 효율적이다. 대부분의 동작이 자동적으로 조절된다.

심화문제

17 피츠(Fitts, P.)와 포스너(Posner, M.)의 운동학습단계 설명으로 틀린 것은?

① 인지–연합–자동화의 단계에 따라 주의 요구 수준은 증가한다.
② 학습하여야 할 운동기술의 특성을 이해하고 과제 수행을 위해 전략을 개발하는 단계를 인지단계라고 한다.
③ 과제를 수행하기 위한 전략을 선택하고, 잘못된 수행에 대한 적절한 해결책을 찾는 단계를 연합단계라고 한다.
④ 동작이 거의 자동적으로 이루어지게 되며 움직임 자체에 대한 의식적인 주의가 요구되지 않는 단계를 자동화단계라고 한다.

■주의를 요구하는 수준은 점차로 낮아진다.
■위 16번 문제 참조.

정답 16 : ④, 17 : ①

18 **보기에서 피츠(P. Fitts)와 포스너(M. Posner)의 운동학습 단계와 설명이 바르게 제시된 것은?**

보기
㉠ 테니스 포핸드 스트로크 자세를 안정적이고 일관성 있게 수행할 수 있다.
㉡ 학습자는 오류를 수정하기 위해서 연습하고, 스스로 오류를 탐지하여 그 오류의 일부를 수정할 수 있다.
㉢ 학습자는 테니스 포핸드 스트로크의 개념을 이해한다.

	자동화단계	인지단계	연합단계
①	㉡	㉠	㉢
②	㉢	㉡	㉠
③	㉠	㉢	㉡
④	㉡	㉢	㉠

■ 앞의 16번 문제 참조.

19 **피츠(Fitts)와 포스너(Posner)가 주장한 운동기술의 학습과정이 아닌 것은?**

① 초기단계 ② 인지단계
③ 연합단계 ④ 자동화단계

■ 초기단계라는 말을 사용하지 않았다.

필수문제

20 보기는 레빈(K. Lewin, 1935)이 주장한 내용이다. ㉠, ㉡에 들어갈 개념으로 바르게 묶인 것은?

보기
» 인간의 행동은 (㉠)과 (㉡)에 의해 결정된다.
» (㉠)과 (㉡)의 상호작용으로 행동은 변화한다.

	㉠	㉡
①	개인(person)	환경(environment)
②	인지(cognition)	감정(affect)
③	감정(affect)	환경(environment)
④	개인(person)	인지(cognition)

■ 레빈은 인간의 행동을 개인과 환경의 함수관계로 본 장이론(field theory)을 주장하였다.
B=f(P, E)
B=behavior(행동),
P=person(사람),
E=environment(환경)
■ 그는 학습을 개인이 지각하는 외부의 장과 내적 · 개인적 영역인 심리적 장의 관계에서 발생하는 인지구조의 성립 또는 변화로 보았다.

정답 18 : ③, 19 : ①, 20 : ①

심화문제

21 운동기술을 학습할 때 학습자의 주의력이 가장 많이 필요한 단계는?

① 초기단계 ② 인지단계
③ 연합단계 ④ 자동화단계

■ 운동기술을 인지하기 시작하는 단계에서 주의력이 가장 많이 필요하다.

필수문제

22 번스타인(N. Bernstein)의 운동학습 단계를 바르게 연결한 것은?

① 협응 단계－제어 단계
② 인지 단계－연합 단계－자동화 단계
③ 움직임 개념 습득 단계－고정화 및 다양화 단계
④ 자유도의 고정 단계－자유도의 풀림 단계－반작용의 활용 단계

■ 운동학습의 단계에 대한 이론은 여러 가지 있지만 Fitts의 3단계 모형과 Bernstein의 PNF 모델이 대표적인 이론이다. Fitts의 3단계 모형은 주의력이 필요한 정도에 따라 인지단계(cognitive stage), 연합단계(associative stage), 자동화단계(autonomous stage)로 구분하는 것이다. Bernstein의 PNF 모델은 주어진 움직임 과제를 수행하기 위해서 움직임의 자유도를 조절하는 과정이 운동조절의 과정이자 운동학습의 과정이라고 설명하면서 초보단계, 고급단계, 전문가 단계로 나눈다.

- **초보 단계(자유도 고정 단계)**……자신의 자유도 일부를 제한하여 움직임 조절 과정을 단순화한다. 즉, 움직이는 동안 모든 관절을 고정하든가, 아니면 여러 관절을 결합하여 비슷하게 움직인다.
- **고급 단계(자유도 풀림 단계)**……얼어붙은 몸이 녹으면 수많은 관절이 풀려나는데, 이렇게 풀려난 관절들은 기능적 단위, 즉 협응적 구조 또는 근육반응시너지로 하나로 묶인다. 관절과 근육 간 시너지가 변해서 어떤 관절은 함께 움직이고 어떤 관절은 독립적으로 움직일 수 있게 된다. 그래서 환경적 변화에 더욱 민첩하게 민감하게 대처할 수 있게 된다.
- **전문가 단계(반작용 활동 단계)**……의도한 움직임 목표나 과제를 해결하는 데 필요한 자유도가 효율적으로 조절되는 단계로, 이 단계에서는 몸의 자유도 조절뿐 아니라 외부에서 몸에 작용하는 힘도 조절한다.

심화문제

23 보기에 제시된 번스타인(N. Bernstein)의 운동학습 단계에 대한 설명으로 바르게 묶인 것은?

보기
㉠ 스케이트를 탈 때 고관절, 슬관절, 발목관절을 활용하여 추진력을 갖게 한다.
㉡ 체중 이동을 통해 추진력을 확보하며 숙련된 동작을 실행하게 한다.
㉢ 스케이트를 신고 고관절, 슬관절, 발목관절을 하나의 단위체로 걷게 한다.

	㉠	㉡	㉢
①	자유도 풀림	반작용 활용	자유도 고정
②	반작용 활용	자유도 풀림	자유도 고정
③	자유도 풀림	자유도 고정	반작용 활용
④	반작용 활용	자유도 고정	자유도 풀림

정답 21 : ②, 22 : ④, 23 : ①

필수문제

24 보기에서 ㉠, ㉡, ㉢에 해당하는 기억의 유형이 바르게 연결된 것은?

보기

유형	㉠	㉡	㉢
기억용량	제한	극히 제한	무제한
특징	반복하거나 시연하지 않으면 사라진다.	새로운 정보가 유입되면 쉽게 손실된다.	반복과 시연을 통해 강화된다.
지도방법	한 번에 너무 많은 정보를 제공하지 않고, 정보를 처리할 수 있는 시간을 제공한다.	불필요한 외부정보를 줄이고 집중할 수 있도록 지도한다.	연습을 통해 기억을 강화한다.

	㉠	㉡	㉢
①	감각기억	단기기억	장기기억
②	단기기억	감각기억	장기기억
③	단기기억	장기기억	감각기억
④	감각기억	장기기억	단기기억

■ **단기기억** : 약 30초 동안 기억할 수 있는 것으로, 어른은 5~9가지를 동시에 기억할 수 있다.
■ **감각기억** : 오감에 의해 받아들여진 정보들로, 매우 짧은 기간 동안 저장된다.
■ **장기기억** : 오랜 기간 또는 일생 동안 기억할 수 있으며, 노력하면 단기기억의 일부가 장기기억이 될 수도 있다.

심화문제

25 기억체계에 대한 설명으로 바르지 않은 것은?

① 기억의 과정은 지각→저장→인출의 단계를 거친다.
② 장기기억은 무제한의 용량을 가진다.
③ 단기기억은 활동기억이라고도 불린다.
④ 단기기억은 무제한의 용량을 가진다.

■ 보통 성인이 단기기억으로 기억할 수 있는 용량은 약 10개 정도라고 한다.

26 기억의 종류와 인출에 관한 내용이다. 옳은 것은?

① 단기기억은 약 3시간 동안 기억할 수 있는 것이다.
② 단기기억은 기억한 순서대로 인출해야 한다.
③ 장기기억은 기억한 순서의 역순으로 인출해야 한다.
④ 단기기억은 기억하고 있는 시간이 짧은 대신에 많은 개수를 기억할 수 있다.

■ 단기기억은 약 30초 동안 기억할 수 있고, 장기기억은 기억한 순서와 관계없이 아무 때나 인출할 수 있다. 단기기억은 성인이 5~9개 정도만 기억할 수 있고, 장기기억은 개수와 관계없이 얼마든지 기억할 수 있다.

27 친구의 전화번호를 기억하기 위해서 쪽지에 적은 전화번호를 보면서 여러 번 소리 내어 읽었다. 어떤 단계인가?

① 정보의 인출 ② 정보의 저장 ③ 정보의 부호화 ④ 정보의 확인

정답 24 : ②, 25 : ④, 26 : ②, 27 : ③

필수문제

28 지도자가 학습자에게 외재적 피드백을 주면 학습동기를 유발하고 오차를 줄여주는 순기능도 있지만 의존성을 키우거나 짜증나게 하는 역기능도 있다. 피드백의 역기능을 줄이기 위한 피드백 제공방법에 대한 설명 중 잘못된 것은?

① 점감 피드백 : 학습수준이 올라갈수록 피드백을 줄인다.
② 광폭 피드백 : 꼭 필요한 것보다 조금 더 넓은 피드백을 준다.
③ 요약 피드백 : 일정 기간이 지나거나 잘못이 일정량 이상이 되면 피드백을 준다.
④ 지연 피드백 : 가급적 시간이 많이 지난 다음에 피드백을 준다.

■ 잘못이 있을 때 즉각적으로 피드백을 주는 것이 아니라 약간의 시간을 두고 피드백을 주는 것이 지연 피드백이다.

심화문제

29 보강 피드백의 분류에서 ㄱ), ㄴ)에 해당하는 지식의 명칭으로 알맞은 것은?

> 보기
> ㄱ) 당신의 골프스윙의 정확성을 분석한 결과 목표지점에서 오른쪽으로 10미터 벗어났고, 거리도 20미터 짧게 나왔습니다.
> ㄴ) 정확한 골프 스윙을 하기 위해서는 백스윙에서 머리가 움직이지 않도록 하면서, 어깨의 회전과 함께 체중이 오른쪽으로 이동하도록 해야 합니다.

① ㄱ) 수행의 지식 ㄴ) 처방의 지식
② ㄱ) 결과의 지식 ㄴ) 처방의 지식
③ ㄱ) 결과의 지식 ㄴ) 수행의 지식
④ ㄱ) 처방의 지식 ㄴ) 결과의 지식

■ 외재적 피드백은 내재적 피드백보다 학습자에게 유용한 경우가 많기 때문에 **보강(적) 피드백**이라고 한다.
■ **결과의 지식**은 다이빙의 점수와 같이 결과가 분명하지 않을 때 중요하고, **수행의 지식**은 동작 수행에 필요한 지식이다.

30 보강적 피드백(augmented feedback)의 유형에 해당하는 것은?

① 시각(visual)
② 촉각(tactile)
③ 청각(auditory)
④ 결과지식(knowledge of result)

■ **결과지식** : 동작 수행자의 감각시스템에 의하지 않고 외부에서 제공받은 정보임. 따라서 결과지식은 보강(적) 피드백이다.

31 보기에서 지도자가 제공하는 보강적 피드백의 유형으로 적절한 것은?

> 보기
> 지도자 : 창하야, 다운스윙 전에 백스윙이 제대로 이루어지지 않았어.

① 내적 피드백(intrinsic feedback)
② 감각 피드백(sensory feedback)
③ 수행지식(Knowledge of Performance: KP)
④ 결과지식 (Knowledge of Result: KR)

■ **수행지식** : 움직임이 만들어지는 것과 움직임에 관한 정보, 즉 동작수행에 필요한 지식

정답 28 : ④, 29 : ③, 30 : ④, 31 : ③

32 보기에서 공통적으로 제공하고 있는 피드백은?

보기
» 육상 : 경기장면을 담은 영상을 보고 무릎의 동작을 수정하였다.
» 테니스 : 코치가 "체중이동이 빠르다"라는 정보를 제공하였다.

■ 외재적 피드백은 보강적 피드백이라 한다. 운동수행이 끝난 다음 다른 사람 또는 도구를 이용하여 학습자에게 정보를 제공한다.

① 내재적 피드백(intrinsic feedback)
② 고유감각 피드백(proprioceptive feedback)
③ 보강적 피드백(augmented feedback)
④ 바이오피드백(biofeedback)

필수문제

33 피드백의 기능에 대한 설명으로 바른 것은?

보기
㉠ 학습자의 불필요한 행동을 줄여주고 무엇을 수정해야 하는지에 대한 정보를 제시해 준다.
㉡ 현재의 수행을 유지하며 성공적인 자신의 운동수행에 대해 자신감을 갖도록 해 준다.

■ **정보기능** : 학습자의 불필요한 행동을 줄여주고 수정해야 할 정보를 주는 것.
■ **강화기능** : 진행하고 있는 수행을 유지하여 자신의 운동수행이 성공적이라는 자신감을 주는 것.

① ㉠ : 동기유발기능 ㉡ : 정보기능
② ㉠ : 정보기능 ㉡ : 처방기능
③ ㉠ : 처방기능 ㉡ : 강화기능
④ ㉠ : 정보기능 ㉡ : 강화기능

필수문제

34 보기의 사례에 적합한 피드백은?

보기
농구수업에서 김 코치는 학습자가 자유투 동작과 관련된 피드백을 원할 때 정보를 제공하기로 하고, 각자 연습을 시작하였다. 김 코치는 연습 중 학습자가 피드백을 요구할 때 마다 정확한 자유투 동작에 대해 알려주었다.

■ **자기통제 피드백** : 학습자의 요구와 상황에 따라 지도자와 학습자 간의 상호의사전달 과정을 통하여 제공되는 피드백

① 뉴로 피드백 ② 내재적 피드백
③ 자기통제 피드백 ④ 바이오피드백

정답 32 : ③, 33 : ④, 34 : ③

심화문제

35 **학습단계와 피드백을 주는 기술(원리)을 짝지은 것이다. 잘못된 것은?**

① 인지단계－즉각적 피드백 ② 연합단계－점감피드백, 광폭피드백
③ 자동화단계－지시적 피드백 ④ 학습초기－선택적 피드백

■ 지시적 피드백은 서술적 피드백과 대비되는 것으로 명령조로 피드백을 주는 것이다. 선택적 피드백은 한 번에 한 가지만 지적해서 피드백을 주는 것이다.

36 **운동하는 도중에 또는 운동한 결과로 생기는 정보를 '피드백 정보'라 하고, 운동학습에 가장 큰 영향을 미친다. 피드백 정보의 종류에 대한 설명 중 옳지 못한 것은?**

① 내재적 피드백 정보는 운동을 수행하면서 저절로 생기는(스스로 알아내는) 정보이다.
② 외재적 피드백 정보는 운동이 끝난 다음 다른 사람 또는 도구에 의해서 제공되는 정보이다.
③ 수행의 지식은 동작을 수행하기 위해서 필요한 지식(정보)이다.
④ 결과의 지식은 피드백 정보를 받은 결과로 생기는 지식(정보)이다.

■ 결과의 지식은 수행한 결과를 말하는데, 예를 들어 농구에서 슈팅한 결과 득점을 하거나 하지 못하는 것이다. 수행의 지식의 예는 슈팅할 때 점프해서 팔을 쭉 뻗는 것이 유리하다는 것이다.

필수문제

37 **운동제어에서 피드백이 필요한 이유가 아닌 것은?**

① 잘못된 것을 수정하려고 ② 움직임을 빠르게 하려고
③ 오차를 줄이려고 ④ 기억을 업데이트(update)하려고

■ 움직임을 빠르게 하려면 피드백이 없어야 한다.

필수문제

38 **운동학습의 전이에 관한 설명이다. 틀린 것은?**

① 이미 학습한 운동을 새로운 운동의 학습에 이용하는 것도 전이이고, 새로운 조건에 맞도록 수정하는 것도 전이이다.
② 두 운동 사이에 유사성이 많을수록 전이가 잘 된다.
③ 이미 학습한 운동이 새롭게 학습해야 할 운동에 좋은 영향을 미치는 것이 긍정적 전이이다.
④ 이미 학습한 운동은 후에 학습하는 운동에 반드시 영향을 미친다.

■ 이미 학습한 운동이 뒤에 학습할 운동에 전혀 영향을 미치지 않는 경우도 있는데, 그것을 **영전이**라고 한다.

심화문제

39 **수영장에서 연습한 수영기술이 바다에서도 잘 발휘할 수 있는지를 확인하는 검사로 적절한 것은?**

① 전이 검사(transfer test) ② 파지 검사(retention test)
③ 효율성 검사(efficiency test) ④ 수행 검사(performance test)

■ **전이검사** : 이전학습내용이 후속학습에 영향을 줄 수 있는지 알아보는 검사
■ **파지검사** : 운동연습으로 향상된 운동수행능력을 오랫동안 유지할 수 있는지 알아보는 검사
■ **효율성검사** : 목적을 합리적인 수행으로 실현하였는지 알아보는 검사
■ **수행검사** : 특정과제를 실제로 수행하도록 요구하는 검사

정답 35 : ③, 36 : ④, 37 : ②, 38 : ④, 39 : ①

■ 전이 : 과거에 한 학습내용이 후속학습에 영향을 주는 것
■ 정적 전이(긍정적 전이) : 사전학습이 후속학습에 긍정적으로 작용하는 것
■ 부적 전이(부정적 전이) : 사전학습이 후속학습을 방해하는 것
■ (p. 21) 참조.

필수문제

40 보기에서 설명하는 개념은?

보기
수현이는 오랫동안 배드민턴을 즐기다가 새롭게 테니스 교실에 등록했다. 테니스 코치는 포핸드 스트로크를 지도할 때, 수현이가 손목 스냅을 습관적으로 사용하는 것을 보고 손목을 고정하도록 지도했다.

① 부적 전이(negative transfer)
② 과제 내 전이(intratask transfer)
③ 정적 전이(positive transfer)
④ 양측 전이(bilateral transfer)

심화문제

41 보기의 괄호 안에 들어갈 용어는?

보기
운동기술의 요소와 처리과정이 유사하여 과거의 학습이 새로운 학습에 도움이 되는 것을 (　　　) (이)라고 한다.

① 부호화　　② 정적 전이
③ 파지　　④ 표상

■ 파지 검사 : 연습으로 향상된 운동수행능력을 오래 동안 유지할 수 있는지를 알아보려는 검사
■ 전이 검사 : 사전학습이 후속학습에 영향을 줄 수 있는지를 알아보려는 검사
■ 망각 검사 : 기억한 정보가 시간 경과, 미사용 등으로 약화 내지 소멸되어 재생되는지를 알아보려는 검사

42 보기의 ㉠, ㉡에 해당하는 것은?

보기
» (　㉠　) : 학습자가 새로운 기술을 연습한 후, 특정한 시간이 지난 후 연습한 기술의 수행력을 평가하는 검사
» (　㉡　) : 연습한 기술이 다른 수행 상황에서도 발휘될 수 있는지를 평가하는 검사

	㉠	㉡
①	전이 검사	파지 검사
②	파지 검사	전이 검사
③	망각 검사	파지 검사
④	파지 검사	망각 검사

정답 40 : ①, 41 : ②, 42 : ②

필수문제

43 보기의 운동기능 연습법 내용과 관련 있는 것은?

보기
각 부분을 따로 연습한 후 전체 기술을 종합적으로 연습하는 순수 분습법(pure-part practice)과 전체 운동기술 중에 첫 번째와 두 번째 요소를 각각 연습한 후 그 두 요소를 결합하고 이후 다음 요소를 다시 연습하는 과정을 거쳐 전체 기술을 습득해가는 점진적 분습법(progressive-part practice)으로 구분된다.

① 분절화 ② 부분화
③ 분산연습 ④ 집중연습

■**분절화** : 운동기술을 몇 개로 구분하는 것.
■**부분화** : 운동기술 전체를 몇 가지로 나누는 것.
■**분습법** : 운동기술의 요소를 하나씩 연습하여 최종적으로 전체적인 기술로 전이하는 것.
■**분산연습** : 연습과 연습 사이의 휴식시간이 길고 휴식시간이 연습시간과 같거나 더 긴 연습방법.
■**집중연습** : 연습과 연습 사이의 휴식시간이 짧고, 연습시간이 휴식시간보다 긴 연습방법.

심화문제

44 연습시간이 휴식시간보다 상대적으로 긴 연습방법은?

① 집중연습 ② 분산연습
③ 구획연습 ④ 무선연습

필수문제

45 보기의 ㉠, ㉡에 배구 기술을 지도하기 위한 연습구조가 적절하게 제시된 것은?

보기

	1차 시	2차 시	3차 시
㉠	서브 서브 서브	세팅(토스) 세팅(토스) 세팅(토스)	언더핸드 언더핸드 언더핸드
㉡	서브 세탕(토스) 언더핸드	세팅(토스) 언더핸드 서브	언더핸드 서브 세팅(토스)

* 두 가지 연습 구조에서 연습 시간과 횟수는 동일

	㉠	㉡
①	구획연습(blocked practice)	무선연습(random practice)
②	가변연습(variable practice)	무선연습(random practice)
③	집중연습(massed practice)	분산연습(distributed practice)
④	가변연습(variable practice)	일정연습(constant practice)

■운동기술의 하위요소들은 순차적으로 연습하는 것이 **구획연습**이고, 임의대로 연습하는 것이 **무선연습**이다.

정답 43 : ①, 44 : ①, 45 : ①

■분단(구획)연습 : 하위의 운동기술 요소들을 순차적으로 연습하는 것.
■무선연습 : 하위의 운동기술 요소들을 순서없이 임의로 연습하는 것.
■계열연습 : 미리 정해진 학습 순서대로 연습하는 것.
■분산연습 : 연습과 연습 사이의 휴식시간이 길고 휴식시간이 연습시간과 같거나 더 긴 연습방법.

■맥락간섭효과는 운동기술을 연습할 때 여러 가지 방해요인 때문에 연습효과가 줄어드는 것을 말한다. 무선연습을 하면 맥락간섭효과가 높아 파지와 전이에 효과적이다.

■운동기술의 일차원적 분류체계 : 체격에 의한 분류, 근육의 크기에 의한 분류, 연속동작에 의한 분류 등과 같이 한 줄로 죽-세울 수 있는 것.
■운동기술의 이차원적 분류체계 : 동작의 연속성, 운동 환경 등과 같은 분류
■과제의 난이도에 따른 분류는 운동기술의 일차원적 분류체계가 아님.

필수문제

46 **보기는 맥락간섭효과를 유발하는 연습방법에 대한 내용이다. 괄호 안에 들어갈 용어가 바르게 나열된 것은?**

보기
스포츠지도사인 류현진은 야구수업에서 오버핸드(A), 사이드암(B), 언더핸드(C) 던지기동작을 지도하기 위해 2가지 연습방법을 계획하였다.
(㉠) 연습은 ABC 던지기 동작을 각각 10분씩 할당하여 연습하게 하는 것이고, (㉡) 연습은 30분 동안 ABC 던지기 동작을 순서 없이 무작위로 연습하는 것이었다.

※ 야구수업 연습구성의 예
방법 1 (㉠) 연습 : AAAAA(10분) ⇒ BBBBB(10분) ⇒ CCCCC(10분)
방법 2 (㉡) 연습 : ACBABACABCBACBC(30분)

	㉠	㉡
①	분단(blocked)	무선(random)
②	분단(blocked)	계열(serial)
③	분산(distributed)	무선(random)
④	분산(distributed)	계열(serial)

필수문제

47 **운동기술 연습에서 발생하는 맥락간섭효과에 대한 설명으로 옳은 것은?**

① 집중연습과 분산연습에 의해 맥락간섭효과의 크기는 달라진다.
② 높은 맥락간섭은 연습수행에서 효과가 높다.
③ 낮은 맥락간섭은 파지에 효과가 높다.
④ 무선연습은 분단연습에 비해 파지 및 전이에 효과가 높다.

필수문제

48 **운동기술(motor skill)의 일차원적 분류체계가 아닌 것은?**

① 과제의 난이도에 따른 분류
② 환경의 안정성에 따른 분류
③ 움직임의 연속성에 따른 분류
④ 움직임에 동원되는 근육의 크기에 따른 분류

정답 46 : ①, 47 : ④, 48 : ①

심화문제

49 보기의 야구 투구와 타격 상황에 대한 해석으로 적절하지 않은 것은?

보기

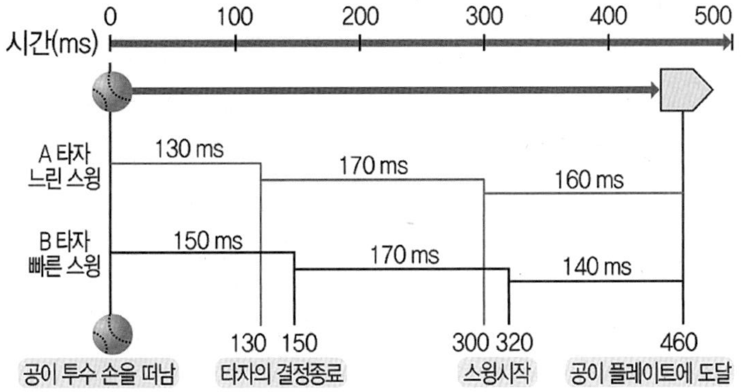

» 투수가 시속 145km의 속도로 던진 공이 홈플레이트에 도달하는 시간은 460ms이다.

» 두 명의 타자 중 A 타자의 스윙 시간은 160ms이며, B 타자의 스윙 시간은 140ms이다.

» 두 타자의 신체 조건, 사용하는 배트, 기술 수준, 공이 맞는 지점은 모두 같다고 가정한다.

① B 타자는 A 타자보다 구질을 파악하는데 더 많은 시간을 활용할 수 있다.
② B 타자는 A 타자보다 타격의 충격력이 커서 더 멀리 공을 쳐 낼 수 있다.
③ B 타자는 A 타자보다 공에 대한 정보를 파악하는데 유리하다.
④ B 타자는 A 타자보다 스윙 시작이 빨라야 한다.

■A 타자는 스윙을 300m/s에서 시작하였고, B 타자는 320m/s에서 시작하였으므로, A가 B보다 빨리 스윙을 해야 한다.

정답 49 : ④

04 Chapter 운동의 발달

어린이의 뼈, 근육, 움직이는 능력, 환경을 조작할 수 있는 능력 등이 발달하는 것을 운동발달이라고 한다. 운동발달은 큰 근육 운동의 발달과 작은 근육 운동의 발달로 나눌 수 있다. 큰근육 운동의 발달은 큰근육이 발달하는 것으로 앉고, 서고, 달리는 활동을 할 때 큰근육들을 사용한다. 작은근육 운동의 발달은 작은근육이 발달하는 것으로, 특히 손의 발달을 의미한다.

발달의 원리

어린이의 운동발달은 예측이 가능하도록 일정한 순서에 따라서 발달된다.

☞ 운동발달은 몸통에서 먼 쪽으로(팔이 손가락보다 먼저),

☞ 머리 쪽에서 꼬리 쪽으로(머리가 발보다 먼저) 발달한다.

운동발달이 얼마나 잘 되었느냐가 다른 분야의 발달에 큰 영향을 미친다.

운동발달과 인지발달	이동을 잘 하거나 자세를 잘 바꿀 수 있는 어린이가 환경탐험을 쉽게 할 수 있고, 손가락을 잘 움직일 수 있는 어린이가 글씨를 잘 쓰거나 그림을 잘 그릴 수 있으므로 운동발달이 인지발달에 큰 영향을 미친다.
운동빌달과 생활기술의 발달	운동조절을 정확하게 잘 할 수 있는 어린이가 손으로 만들거나 젓가락질, 옷을 입고 벗는 일이나 얼굴을 닦는 일, 목욕 등을 더 잘 할 수 있다.
운동발달과 소통능력의 발달	입 운동을 잘 조절할 수 있는 어린이가 글자를 읽고 발음을 정확하게 할 수 있다(또렷하게 표현).
운동발달과 사회성 또는 감성의 발달	앉고, 말하고, 먹고, 마시려면 적절한 운동능력이 있어야 한다. 어린이가 그런 것들을 잘 하는 정도에 따라서 다른 사람들이 반응하는 것들이 다르기 때문에 운동발달이 그 어린이의 사회성 또는 감성의 발달에 긍정적인 영향을 줄 수도 있고, 부정적인 영향을 줄 수도 있다.

► 인간 발달의 특징(미국 스포츠신체교육협회/NASPE)

인간의 발달적 변화를 다음의 6가지 측면으로 특징화함.

질적 측면	움직임의 효율성 향상과 같은 질적 변화.
개인적 측면	발달에 영향을 미치는 요인에는 개인차가 있음.
다차원적 측면	개인은 내측(개인적 · 정서적) 특성과 외적(사회환경 등) 특성의 영향을 받음.
계열적 측면	운동발달 과정에는 순서적인 특징이 있음.
종합적 측면	지금의 움직임은 과거의 움직임이 축적된 종합적인 형태임.
방향적 측면	운동발달은 진보하거나 퇴화할 수도 있음.

운동발달에 영향을 미치는 요인

운동발달에 영향을 미치는 요인은 다음과 같다.

1 개인적인 요인

유전과 영양	성장과 성숙에 영향을 미친다.
사회적 지지자	부모, 가족, 선생님 등 사회적 지지자들이 가지고 있는 운동에 대한 인식과 태도에 따라서 신체활동에 참여할 수 있는 기회가 달라진다.
심리적인 요인	자기 자신이 가지고 있는 신체적 자긍심과 참여동기 등이 운동발달에 영향을 미친다.

2 사회 · 문화적인 요인

성역할	남자와 여자의 성역할에 따라서 운동발달이 크게 달라진다.
대중매체	운동에 관한 정보를 가장 많이 전달해주는 정보원이 대중매체이다.
문화적 배경	그 사람이 속해 있는 사회의 문화가 운동발달에 영향을 미친다.

운동발달의 단계(Gallahue)

사람이 태어난 다음 늙어서 죽을 때까지 운동능력이 점차적으로 변화하기 때문에 운동발달 단계에 일생이 모두 포함되어야 한다. 그러나 10대까지는 점점 운동능력이 발달되는 변화이고, 그 이후부터는 운동능력을 유지하거나 쇠퇴하는 변화이기 때문에 운동발달 단계를 소년기까지만 설명하고 그 이후는 생략하는 경우가 많다.

일반적으로 소년기까지의 운동발달 단계를 **영아기**(0~1세), **유아기**(1~2세), **미취학기**(2~6세), **학동기**(7~14세)로 나눈다.

기본적인 작은 근육 운동은 갑자기 발달하는 것이 아니라 어린이 시절에 꾸준히 점차적으로 발달되어서 6~12세경이면 완료된다. 그 후에도 작은 근육 운동은 나이, 연습, 스포츠에서 사용, 도구사용, 컴퓨터, 글씨쓰기 등에 의해서 더 발달된다.

1 반사움직임 단계(영아기)

태어난 다음 첫 번째의 운동기술은 다윈반사운동이다. 다윈반사운동은 영아가 무의식적으로 막대기 같은 것을 잡고 매달리려고 하는 경향을 말하며, 생후 2개월쯤 되면 없어진다. 유아의 움직음은 처음부터 스스로의 자의적 움직임에 의해서 일어나는 것이 아니라 신체방어와 생존을 위한 반사운동으로부터 시작된다고 해서 반사움직임 단계라고 한다.

약 8주가 되면 의식적으로 손가락을 사용해서 물건을 잡으려고 하지만 잘 되지 않는다. 2~5개월이 되면 눈과 손의 협동동작, 도달동작, 잡기동작 등이 시작되고, 6개월이 넘으면 물건을 먼저 살펴본 다음에 잡기나 도달하기 동작을 한다.

❷ 초보적 움직임 단계(유아기)

7~12개월이 되면 반사적 운동이 감소하고 자의적으로 움직일 수 있는 능력이 발달한다. 작은 근육 운동(그립, 시력의 발달, 손가락으로 가리키기, 작은 물건 집기, 이 손에서 저 손으로 물건 옮기기 등)이 발달되기 시작한다. 글씨 쓰기 또는 그리기가 이 시기에 나타나는 대표적인 작은 근육 운동이다.

1살이 되면 손으로 물건을 가지고 놀 수 있다. 그러면서 모양, 크기, 무게 등을 이용해서 물건을 구별하는 능력이 길러진다. 이 시기에 오른손잡이와 왼손잡이가 구별된다.

❸ 기초(기본)적 움직임 단계(미취학기)

어린이의 나이가 2~6세가 되면 보통 어린이집에 간다. 이 시기에 엄지손가락, 집게손가락, 가운데손가락을 이용해서 물건을 집고(세손가락 집기), 종이를 오리고, 단추를 끼우고, 크레용으로 수직 또는 수평선을 그릴 수 있게 된다. 감각기관의 능력도 향상되어서 주위 환경을 나름대로 해석한다. 말하기와 읽고 쓰기를 하고, 그림을 그리고 만들기를 하며, 인형의 옷을 입히는 등 창의적인 일을 할 수 있게 된다.

이동운동 능력의 기능은 출현 시기가 거의 일정하므로 발달 이정표를 알아보는 준거가 된다. 유아의 이동운동 기능이 평균 출현시기보다 3~6개월 늦게 나타나면 주의깊게 관찰해 보아야 한다.

걷기(12~13개월), 달리기(18개월), 두 발 뛰기(만 2세), 한 발 뛰기(만 2.5세), 말 뛰기(만 3세), 스키핑(만 4.5~5세–깡충깡충 뛰기)

❹ 스포츠기술(전문화 움직임) 단계(초등학생 시기)

6~7세에 작은 근육 운동이 많이 발달되었지만 학동기에 더 발달되어서 물건을 가지고 놀 때 어깨와 팔꿈치는 거의 움직이지 않고 손목과 손가락으로만 움직인다. 또래와 스포츠활동을 익히고, 즐길 수 있다.

☞ 소근육(작은근육)운동……양손 사용 능력, 글씨 쓰기 능력, 그림 그리기 능력, 블록 쌓기, 젓가락 쓰기, 옷입고 벗기, 단추 사용하기

❺ 성장과 세련 단계(청소년기)

질적 · 양적인 측면이 급격하게 발달하는 다계로 사춘기에 해당한다. 호르몬 분비의 증가와 근육–골격계통이 급성장하며, 운동기술 수준이 급격히 발달한다.

❻ 최고 수행 단계(성인 초기)

근력 및 심폐기능 그리고 정보처리 등에서 최고의 능력을 발휘하며 최상의 운동기술 수행(남자 28~30세, 여자 22~25세)이 가능한 단계이다.

❼ 퇴보 단계(성인 후기)

생리적 · 신경학적 기능이 감소하기 시작하는 단계로 30세 이후에 해당된다. 운동수행능력이 쇠퇴하고 스피드를 요구하는 운동 과제를 수행하는 능력이 현저하게 낮아진다. 심장혈관 · 근력 · 유연성 · 지구력 · 신경기능 등이 감소하고 체지방이 증가한다.

필수 및 심화 문제

필수문제

01 인간 발달의 특징에 관한 설명으로 옳지 않은 것은?

① 개인적 측면은 발달에 영향을 미치는 요인이 개인마다 달라서 나타나는 현상이다.
② 다차원적 측면은 개인의 신체적·정서적 특성과 같은 내적 요인 그리고 사회 환경과 같은 외적 요인으로 나눌 수 있다.
③ 계열적 측면은 기기와 서기의 단계를 거친 후에야 자신의 힘으로 스스로 걸을 수 있게 되는 것이다.
④ 질적 측면은 현재 나타나고 있는 움직임 양식이 과거 움직임의 경험이 축적되어 나타나는 것이다.

■ 인간 발달의 질적 측면은 움직임의 효율성 향상과 같은 질적 변화임(p. 40 참조).

필수문제

02 어린이의 운동발달 원리 중 옳지 않은 것은?

① 예측이 가능하도록 일정한 순서에 따라서(엎드린 다음에는 긴다).
② 안쪽에서 바깥쪽으로(창자가 피부보다 먼저 발달한다).
③ 몸통에서 먼 쪽으로(팔이 손가락보다 먼저 발달한다).
④ 머리 쪽에서 꼬리 쪽으로(머리가 발보다 먼저 발달한다).

■ 어린이의 발달은 모든 분야가 서로 영향을 미치면서 발달한다. 그러나 분야별로 발달하는 순서는 있다.
■ 내 · 외 · 중배엽은 거의 동시에 발달한다.

심화문제

03 운동발달의 원리에 대한 설명으로 옳지 않은 것은?

① 분화와 통합의 과정을 거친다.
② 일정한 순서와 방향성을 가진다.
③ 발달속도는 연령에 상관없이 일정하다.
④ 유전과 환경의 상호작용을 통해 발달한다.

■ 발달속도는 일정하지 않다.

04 운동의 발달이 아닌 것은?

① 판단력이 좋아지는 것
② 뼈와 근육이 자라는 것
③ 운동능력이 더 좋아지는 것
④ 환경을 조작할 수 있는 능력이 나아지는 것

■ 판단력은 운동의 발달이 아니라 지능의 발달이다.

정답 01 : ④, 02 : ②, 03 : ③, 04 : ①

05 운동발달의 기본 가정으로 틀린 것은?

① 전 생애에 걸쳐 진행되는 불연속적인 과정이다.
② 개인차가 존재한다.
③ 민감기 또는 결정적 시기가 존재한다.
④ 환경적 맥락의 영향을 받는다.

■ 운동발달은 전 생애에 걸쳐 진행되는 연속적인 과정이다.

06 다음 중 운동발달과 관련이 없는 것은?

① 인지발달
② 생활기술의 발달
③ 소통능력의 발달
④ 사회성의 발달

■ 운동발달이 모든 능력의 발달에 영향을 미친다.

필수문제

07 운동발달 개념에 대한 설명으로 바르지 않은 것은?

① 태아기에서 사망까지의 지속적인 과정이다.
② 발달은 연령에 의해서만 결정되지 않는다.
③ 발달은 운동연습에 의해서만 결정된다.
④ 발달의 속도와 범위는 개인별로 과제의 특성에 의해 영향을 받는다.

■ 운동발달의 속도는 연령에 따라 계열적으로 변화하는 과정이다.

심화문제

08 보기에 있는 요인 중에서 운동발달에 영향을 미치지 않는 요인은?

보기	
1. 유전과 영양	2. 사회적 지지자(부모, 선생님 등)
3. 심리적 요인(신체적 자긍심, 참여동기 등)	4. 성역할(남, 여)
5. 문화적 배경	6. 대중매체

① 6
② 5, 6
③ 3, 5, 6
④ 없다

■ 대중매체가 운동에 관한 정보를 가장 많이 제공하고, 운동에 관한 정보는 청소년의 운동발달에 크게 영향을 미친다.

09 운동발달에 영향을 미치는 사회문화적 요인에 대한 설명으로 틀린 것은?

① 인종과 문화적 배경은 성장과 운동발달에 영향을 미친다.
② 교사나 학교 사회에서의 성별 구분이 놀이 및 스포츠 사회화에 영향을 준다.
③ 놀이 공간은 스포츠 참여에 필요한 사회적 환경을 제공하며 놀이 공간과 놀이 활동이 아동의 운동발달에 영향을 미친다.
④ 민감기의 학습은 자극에 민감한 시간적 구조가 있음을 의미하지만, 민감기의 자극 정도가 발달에 영향을 미치지는 않는다.

■ 어떤 능력이 잘 발달할 수 있는 최적의 기간을 민감기라고 한다. 민감기를 놓치면 발달이 잘 되지 않는 경우도 있다.

정답 05 : ①, 06 : 없음, 07 : ③, 08 : ④, 09 : ④

필수문제

10 운동발달에 관한 설명으로 옳지 않은 것은?

① 운동발달에는 개인차가 존재한다.
② 운동발달 과정에는 민감기(sensitive period)가 있다.
③ 운동발달은 운동행동이 연속적으로 변화하는 과정이다.
④ 운동발달 상황에서 공통적으로 나타나는 행동을 개체발생적 운동행동이라고 한다.

■ 운동발달은 운동행동이 연속해서 변화하는 과정으로, 발달에는 개인차가 있다. 또 발달과정에는 민감기도 있다. 운동발달 상황에서 개체 발생적 운동행동은 환경적 요인에 영향을 받아 학습과정을 통해 획득되는 운동행동(예 : 수형, 자전거 타기 등)으로 공통적으로 나타나는 행동이 아니다.

필수문제

11 보기의 ㉠~㉢에 들어갈 운동발달의 단계를 바르게 나열한 것은?

보기
반사운동단계 → (㉠) → (㉡) → 스포츠기술단계 → (㉢) → 최고수행단계 → 퇴보단계

	㉠	㉡	㉢
①	초기움직임단계	성장과 세련단계	기본움직임단계
②	초기움직임단계	기본움직임단계	성장과 세련단계
③	기본움직임단계	성장과 세련단계	초기움직임단계
④	기본움직임단계	초기움직임단계	성장과 세련단계

■ **운동발달의 단계**
(Gallahue)
영아기(반사움직임단계)→유아기(초보적 움직임단계)→미취학기(기본움직임단계)→초등학생기(스포츠기술 또는 전문운동단계)→청소년기(성장과 세련단계)→성인 초기(최고수행단계)→성인 후기(퇴보단계)로 나눈다.

심화문제

12 시기별 운동발달 단계가 바르지 않은 것은?

① 유아기－반사 움직임 단계
② 아동기－스포츠 기술 단계
③ 청소년기－성장과 세련 단계
④ 성인초기－최고수행 단계

■ 영아기=반사움직임 단계, 유아기=초보움직임 단계

정답 10 : ④, 11 : ②, 12 : ①

■ **성장** : 생물체의 크기·무게·부피가 증가하는 것. 형태는 변하지 않고 양이 증가하는 것으로, 발육과는 구별된다.
■ **성숙** : 생물의 발육이 완전히 이루어짐. 유전요인으로 신체적·정신적·지적 분화와 통합이 이루어지는 생물학적 과정.

필수문제

13 괄호 안에 들어갈 말을 올바르게 짝지은 것은?

보기
(　　)은 신체나 신체 부분의 크기의 증가를 뜻하는 용어로 신체 변화의 총체를 의미한다.
(　　)은 기능을 보다 높은 수준으로 발전할 수 있게끔 하는 질적 변화로 정해진 순서에 따라 진행되는 특성이 있다.

① 성장 – 성숙　　② 성숙 – 성장
③ 발달 – 성장　　④ 성숙 – 발달

■ 소근육(작은근육)운동(p. 42) 참조

심화문제

14 다음 중 소근육 운동이 아닌 것은?

① 걷기　　② 글씨 쓰기
③ 블록 쌓기　　④ 젓가락 사용하기

■ ③ 도구를 사용하여 평가할 때는 도구를 탐색할 기회를 주어야 심리적 안정을 느끼게 된다.
■ ① 평가 대상자는 평가 장소에 도착 즉시 평가하지 않고 환경 탐색 시간을 주어야 한다.
■ ② 평가 대상자는 민감하게 반응할 수 있는 평가라는 단어를 사용하지 않는다.
■ ④ 평가 대상자는 관심을 가진 주제에 관하여 대화로 공감대를 형성해야 한다.

필수문제

15 아동의 운동 발달을 평가할 때 심리적 안정을 도모하기 위한 평가방법으로 옳은 것은?

① 평가장소에 도착하면 환경에 대한 탐색 시간을 주지 말고 평가를 바로 진행한다.
② 아동의 평가 민감성을 높이기 위해 평가라는 단어를 강조한다.
③ 운동 도구를 사용하여 평가할 때 탐색할 기회를 제공한다.
④ 아동과 공감대를 형성하지 않는다.

정답 13 : ①, 14 : ①, 15 : ③

05 Chapter 스포츠수행의 심리적 요인 1

성격

1 성격의 특성

독특성	같은 환경이라도 개인에 따라 사고하고, 느끼고, 행동하는 것이 다르다.
일관성	시간이나 상황이 바뀌어도 비교적 일관성이 있다.
경향성	느끼고, 생각하고, 행동하는 가운데에서 나타나는 어떤 것이 경향성이다.

2 성격의 구조(Hollander, E. P.)

성격은 계란처럼 3겹으로 되어 있다.

심리적 핵	그 사람의 가치관, 적성, 신념 등을 포함하고 있는 계란의 노른자위에 해당된다.
전형적 반응	환경과의 상호작용에 의해서 외부로 표현되는 반응. 계란의 흰자위에 해당된다.
역할관련 행동	자신의 사회적 지위나 역할을 감안하여 취하는 행동. 계란의 껍질에 해당된다.

3 성격이론

정신(신경) 역동 이론	"인간은 원초적인 나(id), 현실적인 나(ego), 이성적인 나(super ego)가 혼합되어서 구성되어 있고, 그 3가지 나가 끊임없이 갈등과 타협을 하는 상호작용에 의해서 인간의 행동이 지배된다."고 보는 이론이다.
사회학습 이론	인간의 행동은 사회에서 학습한 것과 개인이 처한 상황의 상호작용에 의해서 결정된다고 주장하는 이론이다.
체형 이론	인간의 체형은 비만형, 근육형, 세장형으로 구분되며, 각 체형에 상응하는 성격이 있다는 이론.
특성 이론	인간의 성격에는 16개의 요인이 있고, 그 요인들이 미치는 영향에 따라 개인의 성격이 다르게 나타난다는 이론.
욕구위계 이론	인간에게는 6가지 욕구가 있고, 그 욕구에는 순서가 있는데, 개인마다 욕구의 수준이 다르기 때문에 행동이 다르게 나타난다는 이론.

4 성격을 측정하는 방법

질문지법	성격을 묻는 문항에 응답한 것을 보고 개인의 성격을 알아내는 방법이다. 측정과 해석에 한계가 있다. MMPI, 16PF, Eysenck의 한국판 성격차원검사, Butler & Hardy의 선수 수행 프로파일, MBTI 성격측정 등이 있다.

투사법	애매한 그림이나 해석하기 곤란한 과제를 주고 그에 대한 반응을 분석해서 개인의 성격을 진단하는 방법이다. Rorschach의 잉크반점검사법과 주제통각검사법(TAT)이 있다.
면접법	피험자를 직접 면접하면서 여러 가지 질문을 해서 성격을 알아내는 방법이다. 면접관이 유능해야 한다.

5 성격과 경기력의 관계

- ☞ 운동선수와 비선수 사이에 확실한 성격차이가 없다.
- ☞ 우수선수들은 빙산형 성격 프로파일을 보인다. 우수선수들은 활력이 높다.
- ☞ 남자선수와 여자선수 사이에 성격차이가 없다.
- ☞ 기술 수준이 높은 선수들은 동질성이 크고 낮은 선수들은 이질성이 높다.

정서

1 재미, 몰입, 정서의 개념

재미	과제 활동 시 만족감을 느끼는 긍정적인 심리상태이다. 재미의 체험을 통해서 스트레스와 긴장으로부터 회복된다.
몰입	최상의 수행상태에서 개인이 주관적으로 경험하는 심리상태이다. 절정의 체험, 무아경, 황홀경 등으로 표현한다.
정서	어떤 자극에 대한 사전 또는 사후의 심리적 반응이다. 정서는 관찰되는 것이 아니라 추론되는 것이다. 감정, 느낌, 기분 등과 혼용되는 경우가 많다.

2 정서에 대한 이론적 모형

색상환 모형	빨강, 파랑, 노랑 3가지 물감을 섞는 비율에 따라서 여러 가지 색깔이 나타나듯이 인간에게는 6가지 또는 8가지의 기본 정서가 있고, 그 기본 정서들이 혼합되는 강도 등에 따라 여러 가지 정서가 나타난다고 본다.
2차원 모델	인간의 정서는 각성과 비각성, 쾌와 불쾌의 2차원 구조로 되어 있다고 주장하는 이론
원형모델	인간의 정서는 고활성과 저활성, 쾌와 불쾌로 나타나는 유인가로 구성되어 있다고 주장하는 이론

3 정서 상태를 측정할 수 있는 3가지 방법

생리적(바이오피드백) 측정	땀, 맥박 등
행동 측정(관찰법)	얼굴 표정, 행동 변화 등
질문지법(자기보고서 측정)	설문지 조사

4 각성, 스트레스, 탈진, 불안의 개념

각성	활발한 신체활동을 하기 위해서 활력을 돋우는 생리적 · 심리적 활성화 상태이다.

스트레스	환경의 요구와 그 요구에 대응할 수 있는 반응능력의 차이 때문에 생긴다. 신체적 · 정신적 건강에 나쁜 영향을 미치면 유해한 스트레스 좋은 영향을 미치면 유쾌한 스트레스라고 한다.
탈진	과도한 훈련 또는 스트레스로 심리적 · 생리적으로 완전히 지쳐버린 상태
불안	자신의 능력으로 어떻게 할 수 없는 부정적인 정서 상태와 연결되어 있다는 점이 각성이나 스트레스와 다르다.

5 탈진

탈진의 진행과정	인간 소외→성취감 감소→고립→탈진
원인	과잉 훈련, 너무 높은 목표, 완벽주의, 코치의 행동과 팀 분위기 등
대처방안	긍정적 신념, 물질적 지원, 사회적 지지, 건강과 에너지, 문제해결 능력
하위영역	성취감 저하, 스포츠 평가 절하, 신체적 · 정서적 고갈

※하위영역은 레이데크와 스미스(T. Raedecke & A. Smith : 2001)의 〈운동선수 탈진질문지(ABQ)〉에서 3가지 측정 요인임.

6 불안의 종류

특성불안	선천적으로 타고난 자신의 성격 때문에 생기는 불안. 스포츠경쟁불안검사지(SCAT)가 있다.
상태불안	어떤 상황에 처했을 때 일시적으로 느끼는 불안. 신체적 불안과 인지적 불안으로 구분됨.
경쟁불안	스포츠상황에서 생기는 불안. 경쟁불안은 일종의 상태불안이다. 경쟁불안을 경쟁특성불안과 경쟁상태불안으로 나누기도 한다.

7 경쟁불안이 생기는 원인

⑧ 실패에 대한 공포

⑧ 부적감 또는 시설에 대한 불만

⑧ 자신감의 결여(승리에 대한 압박, 주위 사람들의 기대감에 대한 부담)

8 불안의 측정방법

행동적 측정	시합 전후에 나타나는 선수의 행동적 특징을 관찰해서 기록하고 분석한다.
생리적 측정	근전도, 뇌전도, 피부전기저항, 호르몬, 소변 등을 측정해서 분석한다.
심리적 측정	심리검사 설문지에 응답하도록 해서 분석한다. 상태불안검사지(STAI), 경쟁상태불안검사지(CSAI-2)가 있다.

9 경쟁불안 또는 각성수준과 운동수행의 관계를 설명하는 이론들

욕구(추동) 이론	각성수준과 운동수행은 비례한다.

역U자(적정수준) 이론	각성수준과 운동수행을 그래프로 그리면 ∩와 같은 형태가 된다.
최적수행지역(적정기능구역) 이론	각성수준이 어떤 구역(범위) 안에 들었을 때 운동수행을 가장 잘 할 가능성이 높다.
다차원불안 이론	신체적 불안, 인지적 불안, 자신감이 운동수행에 미치는 영향은 모두 다른 형태이다. 즉 불안은 다차원적이다.
카타스트로피(격변) 이론	각성수준이 적정수준 이상으로 커지거나 적정수준 이하로 작아지면 운동수행이 갑자기 변한다(격변한다).
반전(전환) 이론	각성수준의 높고 낮음을 유쾌하거나 불쾌하다고 일정하게 해석하는 것이 아니고, 그 사람의 동기 형태에 따라서는 정반대로 해석할 수도 있다.
심리에너지 이론	각성을 긍정적으로 생각하면 긍정적인 심리에너지가 생겨서 경기수행능력이 좋아지고, 반대이면 반대가 된다.

10 불안과 스트레스를 관리하기 위한 원칙

⊗ 마음속으로 연습한다.

⊗ 최악의 시나리오를 생각해본다.

⊗ 자신이 잘 조절할 수 있는 것에만 주의를 집중한다.

⊗ 신체운동이나 충분한 준비운동을 한다.

⊗ 인지적 전략을 활용한다.

11 불안을 해소시키는 훈련방법

생리적 관리	바이오 피드백 훈련	정서상태를 직접 알 수 있는 생체신호를 측정하여 긴장을 완화시키는 훈련법. 근육활동 수준, 관절움직임과 같이 육안으로 확인할 수 없는 정보가 포함됨.
	명상	심신을 이완시키고, 마음을 통제할 수 있도록 하는 훈련.
	자생(자율) 훈련법	스스로 최면상태에 도달하여 신체의 무게를 느끼고 체온상승을 유도하는 기술 훈련
	점진적 이완법	자율신경계의 기능을 자기관리하에 조절하여 스트레스를 완화시키는 훈련. 앉거나 누운 자세에서 실시하며, 신체 각 부위에 긴장과 이완을 반복함.
	호흡조절법	복식호흡으로 불안과 긴장을 낮추는 훈련
	체계적 둔감법	불안 또는 스트레스 유발 자극에 대한 이완반응으로, 불안이나 스트레스에 둔감해지게 하는 훈련
	자화법	경기 전 또는 중에 자화(혼잣말)를 함으로써 경기수행을 돕는 방법. 부정적인 자화는 수행을 방해하므로 긍정적인 자화를 연습함.
인지적 관리	인지재구성법	부정적인 생각을 긍정적인 생각으로 전환하는 훈련
	사고정지법	부정적인 생각을 정지시켜 더 이상 부정적인 생각이 나지 않게 하는 훈련

동기

1 동기의 개념과 속성

☞ 개인이 어떤 욕구를 만족시키기 위해서 어떻게 행동하겠다고 마음먹는 것이 '동기'이다.
☞ Sage는 노력의 방향과 강도를 결정해주는 것이 '동기'라고 정의했다.
☞ 동기는 어떤 행동을 시작하게 하거나 계속해서 하도록 만드는 원동력이 된다.
☞ 동기는 자신의 욕구를 강화시키거나 행동의 방향을 설정하게 하는 속성이 있다.

2 동기가 생기는 원인

특성지향적인 관점	사람의 성격적인 특성이 동기를 결정한다.
상황지향적인 관점	개인이 처한 상황과 환경에 의해서 동기가 결정된다.
상호작용적인 관점	개인의 특성과 상황의 상호작용에 의해서 동기가 결정된다.

3 동기유발의 효과(동기유발의 기능)

동기를 유발시키면 그 사람의 행동에 어떤 변화가 생기게 된다.

시발기능 (활성화기능)	어떤 행동을 시작하게 만든다.
지향기능	목표를 달성하기 위해서 해야 할 행동의 방향을 결정해준다.
선택기능 (조절기능)	목표를 달성하기 위해서 특정 행동을 선택하게 한다.
강화기능	행동결과에 따라서 정적 강화 또는 부적 강화를 제공한다.

4 동기이론

내적 욕구를 만족시키려고 동기가 생긴다고 주장하는 이론을 **내적동기 이론**, 외적 욕구를 만족시키려고 동기가 생긴다고 주장하는 것을 **외적동기(유인동기) 이론**, 성취 욕구를 만족시키기 위해서 동기가 생긴다고 주장하는 것을 **성취동기 이론**이라고 한다.

성취동기 이론	모든 인간의 행동은 기본적으로 성취를 위한 것이고, 스포츠와 같이 성취지향적인 노력으로 표현되는 행동은 성취동기에 의해서 결정된다고 보는 이론이다. 맥클리란드(D. McClelland)와 앳킨슨(J. Atkinson)에 의하면 인간의 행동은 개인적 요인과 환경적 요인의 상호작용에 의해서 만들어지고, 개인적 요인은 자신감이나 내적욕구와 같은 성공추구동기와 실패회피 동기로 구성되어 있으며, 환경적 요인은 성공의 유인가치와 성공할 가능성으로 구성되어 있다고 한다.
성취목표성향 이론	무엇인가 성취하려고 노력한다는 의미에서는 성취동기 이론과 같다. 그러나 성공하려고 노력하는 성공추구 동기와 실패하지 않으려고 노력하는 실패회피 동기는 구별되어야 하고, 열심히 노력해서 성취한 것을 만족하게 생각하는 과제지향 성향을 가진 사람과 남보다 더 잘한 것을 만족하게 생각하는 자아지향 성향을 가진 사람은 성취동기가 서로 다르게 나타난다고 주장하는 이론이다.

인지평가 이론	사람에게는 **유능성의 욕구**(자기 자신이 능력이 있어서 남보다 더 잘한다고 말하고 싶은 욕구)와 **자결성의 욕구**(어떤 행동을 하고 안 하고는 누가 시켜서가 아니라 자신이 결정하고 싶어하는 욕구)가 있다. 그 두 가지 욕구에 의해서 외부에서 일어나는 사건을 정보적인 측면, 통제적인 측면, 무동기적인 측면으로 해석하고 평가한 평가 결과에 따라서 내적동기가 증가할 수도 있고 감소할 수도 있다고 주장하는 이론이다.
자기결정성 이론	인지평가 이론에서 주장하는 유능성의 욕구와 자결성의 욕구 이외에 관계성의 욕구도 있다고 하면서, 동기가 아무런 동기도 없는 무동기에서 출발해서 외적 동기를 거쳐 내적 동기까지 연속선상에 있다고 주장하는 이론이다. 그러므로 자기결정성 이론은 인지평가 이론을 확장한 것이라고 할 수도 있다. 그리고 무동기와 내적동기 사이에 있는 외적동기를 외적 규제, 의무감 규제, 확인 규제로 세분하여 총 5가지 동기유형으로 보고, 어떤 유형의 동기를 갖게 되느냐 하는 것은 개인의 자기결정에 의해서 달라진다고 주장하였다.
동기분위기 이론	개인의 성취목표 성향도 중요하지만 **동기분위기**(자신이 속해 있는 집단의 환경을 어떻게 인식하고 있느냐 하는 것)가 그 사람의 내적 동기에 더 큰 영향을 미친다고 주장하는 이론이다. 동기분위기에는 **숙달중시 동기분위기**와 **수행중시 동기분위기**가 있는데, 숙달중시 동기분위기가 긍정적인 면이 더 많으므로 숙달중시 동기분위기를 만들려고 노력해야 한다고 주장하면서 TARGET의 머릿글자를 딴 방법으로 훈련하면 숙달중시 동기분위기를 만들 수 있다고 주장하는 이론이다.
자기효능감 이론	반두라(Bandura)가 주장한 이론으로, **자기효능감**(어떤 일을 자신이 충분히 해낼 수 있다고 믿는 신념)에 따라서 어떤 과제에 대해서 개인이 취하는 행동이 달라진다고 주장하는 이론이다.

귀인

1 귀인의 개념

☞ 성공 또는 실패의 원인이 ○○○라고 생각하는 것.

2 귀인의 기본적인 오류

☞ 자신이 실패한 원인은 상황적 특성 때문이라고 생각한다.

☞ 남이 실패한 원인은 그 사람의 기질적 특성 때문이라고 생각한다.

☞ 자신은 별 수 없어서 실패했고, 남은 성격이 못되어서 실패했다고 생각한다.

3 와이너(Weiner)의 3차원 귀인 모델

☞ 귀인의 요소를 능력, 노력, 과제의 난이도, 운 등 4가지로 본다.

☞ 그 요소들이 내적↔외적, 안정적↔불안정적, 통제 가능↔통제 불가능 등 3차원의 모양을 하고 있다.

☞ 귀인의 요소와 차원에 따라서 '무엇이 원인이라고 생각하는 형태'가 달라진다는 것이다.

▶ 귀인훈련……성공의 원인은 자신의 능력에서 찾고, 실패의 원인은 노력의 부족이나 전략의 미흡 때문이라고 생각하도록 훈련하는 것.

4 학습된 무기력

☞ 실패의 원인을 '실패할 수밖에 없었기 때문이다.'라고 믿는 것이다.
☞ 귀인 중에서 가장 바람직하지 못한 귀인이다.
☞ 학습된 무기력에 빠진 선수는 성취 지향적으로 변화시키기 어렵다.
☞ 실패의 원인을 불 안정적이고 통제 가능한 것(예 : 노력과 연습)에서 찾을 수 있도록 도와주어야 한다.

목표설정

1 목표의 개념

☞ 인간은 합리적으로 행동하기 때문에 목표 또는 의도에 의해서 인간의 행동이 결정된다고 본다.
☞ 목표에는 노력의 강도, 노력의 방향, 노력을 지속하게 하는 힘이 내포되어 있어야 한다.
☞ 목표는 객관적 목표와 주관적 목표로 나눌 수 있고, 주관적 목표는 다시 결과목표와 수행목표로 나눌 수 있다.
☞ 결과에 초점을 맞추는 결과목표보다 수행에 초점을 맞추는 수행목표가 더 바람직하다.

2 목표설정의 필요성

☞ 목표가 행동의 방향을 제시한다.
☞ 동기부여를 통해서 노력을 유발한다.
☞ 목표달성 여부에 대한 피드백을 제공한다.

3 목표설정의 원리

☞ 목표는 구체적으로 설정해야 한다.
☞ 달성가능하고 도전가치가 있는 목표를 설정해야 한다.
☞ 목표의 난이도가 높을수록 목표에 몰입하고 도전의식을 가져야 한다.
☞ 결과를 완성할 구체적인 시간이 명시되어 있어야 한다.
☞ 결과목표와 과정목표를 함께 설정해야 한다.
☞ 장기목표를 먼저 설정하고 단기목표를 나중에 설정한다.

필수 및 심화 문제

필수문제

01 다음은 성격의 특성 또는 속성을 설명한 것이다. 잘못된 것은?

① 특수성 : 환경에 따라 특수하게 반응한다.
② 독특성 : 같은 환경이라도 개인에 따라 사고하고, 느끼고, 행동하는 것이 다르다.
③ 일관성 : 시간이나 상황이 바뀌어도 비교적 일관성이 있다.
④ 경향성 : 성격은 느끼고, 생각하고, 행동하는 가운데에서 나타나는 어떤 경향이다.

■ 성격의 특성은 독특성, 일관성, 경향성으로 정의한다.

심화문제

02 다음 중 성격의 특성이 아닌 것은?

① 독특성 ② 동질성
③ 일관성 ④ 경향성

필수문제

03 보기에서 설명하는 홀랜더(E. P. Hollander)의 성격 구조는?

보기
» 깊숙이 내재되어 있는 실제 이미지를 의미한다.
» 자아, 태도, 가치, 흥미, 동기 등을 포함한다.
» 일관성이 가장 높다.

① 심리적 핵 ② 전형적 역할
③ 역할행동 ④ 전형적 반응

■ **심리적 핵** : 가치관 · 적성 · 신념 등을 포함하고 있는 계란의 노른자위에 해당됨(p. 47 참조).

심화문제

04 성격의 구조에 포함되지 않는 것은?

① 심리적 핵 ② 독특성
③ 전형적 반응 ④ 역할 행동

정답 01 : ①, 02 : ②, 03 : ①, 04 : ②

05 **그림은 성격의 구조를 모형으로 나타낸 것이다. 구성 요소를 순서대로 나열한 것은?**

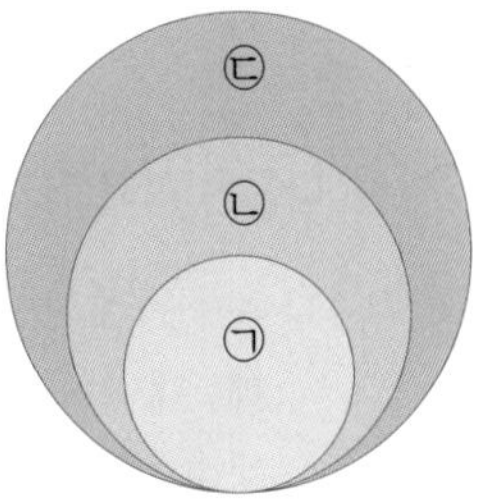

① ㉠ 심리적 핵, ㉡ 전형적 반응, ㉢ 역할 관련 행동
② ㉠ 심리적 핵, ㉡ 역할 관련 행동, ㉢ 전형적 반응
③ ㉠ 역할 관련 행동, ㉡ 심리적 핵, ㉢ 전형적 반응
④ ㉠ 역할 관련 행동, ㉡ 전형적 반응, ㉢ 심리적 핵

■ 성격은 심리적 핵, 전형적 반응, 역할 관련 행동의 3겹으로 되어 있다.

06 **Hollander가 주장한 성격의 구조에 대한 설명이다. 잘못 설명한 것은?**

① 심리적 핵 : 그 사람의 가치관, 적성, 신념 등을 포함하고 있는 계란의 노른자위에 해당되는 것
② 사고반응 : 개인이 심사숙고한 다음에 보이는 반응
③ 전형적 반응 : 환경과의 상호작용에 의해서 외부로 표현되는 반응
④ 역할관련 행동 : 자신의 사회적 지위나 역할을 감안하여 취하는 행동

■ 성격은 계란처럼 심리적 핵, 전형적 반응, 역할관련 행동의 3겹으로 되어 있다.

필수문제

07 **매슬로(A. Maslow)가 제안한 욕구위계 이론에서 다른 욕구가 충족되었을 때 마지막에 나타나는 최상위 욕구는?**

① 안전 욕구 ② 생리적 욕구
③ 자아실현 욕구 ④ 소속 욕구

■ 욕구위계 이론은 생리적 욕구→안전의 욕구→애정의 욕구→존경의 욕구→자아실현의 욕구가 위계적으로 존재한다는 주장이다.

심화문제

08 **다음 설명 중 옳지 않은 것은?**

① 자신의 능력이 우수하다고 스스로 느끼는 것이 유능감이다.
② 사람들에게는 누구나 결정적인 욕구가 있다.
③ 자결성이 가장 낮은 동기가 무동기이다.
④ 의무감 규제는 스스로 압력을 느끼는 것이다.

■ 결정적인 욕구가 아니고 결정성의 욕구가 있다.

09 **"인간은 원초적인 나(id), 현실적인 나(ego), 이성적인 나(super ego)가 혼합되어 구성되어 있고, 그 3가지 나가 끊임없이 갈등과 타협을 하는 상호작용에 의해서 인간의 행동이 지배된다."고 보는 이론은?**

① 사회학습 이론 ② 현상학적(욕구위계) 이론
③ 심리(정신)역동 이론 ④ 특성 이론

■ 프로이트가 주장한 심리역동 이론을 설명한 것이다.

정답 05 : ①, 06 : ②, 07 : ③, 08 : ②, 09 : ③

필수문제

10 다음은 여러 가지 성격이론과 그에 대한 설명이다. 잘못 설명한 것은?

① 욕구위계 이론 : 인간에게는 6가지 욕구가 있고, 그 욕구에는 순서가 있는데, 개인마다 욕구의 수준이 다르기 때문에 행동이 다르게 나타난다.
② 체형 이론 : 인간의 체형은 비만형, 근육형, 세장형으로 구분되며, 각 체형에 상응하는 성격이 있다.
③ 특성 이론 : 인간의 성격에는 16개의 요인이 있고, 그 요인들이 미치는 영향에 따라 개인의 성격이 다르게 나타난다.
④ 사회학습 이론 : 인간의 행동은 개인의 내재적인 특성에 의해서 결정된다.

필수문제

11 보기는 개인의 성격을 측정하는 방법을 설명한 것이다. 어떤 측정방법인가?

보기
» 피검사자에게 애매한 그림을 보여주고, 그 그림에 대해서 이야기를 꾸며내라고 한다.
» 꾸며낸 이야기를 분석하면 그 사람의 성격을 알 수 있다.

① 평정법　　② 면접법
③ 질문지법　　④ 투사법

심화문제

12 질문지법으로 성격검사를 할 때 검사자가 주의해야 할 점이 아닌 것은?

① 정확하게 측정하고 정확하게 해석하려고 노력한다.
② 검사의 목적, 내용, 자료의 용도 등을 피검사자에게 설명해준다.
③ 측정에 오류가 있다는 것을 이해한다.
④ 피검사자의 비밀을 보장한다.

필수문제

13 다음 설명 중에서 옳다고 확신할 수 있는 것은?

① 운동선수와 비선수 사이에 성격차이가 있다.
② 우수선수들은 빙산형 성격 프로파일을 보인다.
③ 남자선수와 여자선수 사이에 성격차이가 있다.
④ 기술수준이 높은 선수와 낮은 선수 사이에 성격차이가 있다.

정답 10 : ④, 11 : ④, 12 : ①, 13 : ②

■ 인간의 행동은 사회에서 학습한 것과 개인이 처한 상황의 상호작용에 의해서 결정된다고 주장하는 것이 **사회학습 이론**이다.

■ **성격측정방법**
· **질문지법** : 성격을 묻는 문항에 대한 응답으로 개인의 성격을 알아내는 방법
· **투사법** : 애매한 그림이나 해석이 곤란한 과제를 주고 그것에 대한 반응을 분석해서 개인의 성격을 알아내는 방법
· **면접법** : 피험자를 직접 면접하여 여러 가지 질문을 해서 개인의 성격을 알아내는 방법
· **평정법** : 객관적인 측정이 힘든 주관적인 특성을 알아보기 위하여 사상(事象)이나 대상의 순위를 정하거나 정도를 평가하는 방법으로 성격측정방법은 아님.

■ 측정과 해석에는 한계가 있다는 것을 이해해야 한다.

■ ① 운동선수와 비선수 사이에는 확실한 성격차이를 보이지 않는다. ③ 남자선수와 여자선수 사이에는 성격차이가 없다. ④ 기술 수준이 높은 선수들은 동질성이 높고, 낮은 선수들은 이질성이 높다.

심화문제

14 Morgan의 정신건강 모델에서 우수선수에게 높게 나타나는 요인은?

① 긴장
② 피로
③ 혼란
④ 활력

15 경기력 수준과 성격의 관계를 잘못 설명한 것은?

① 경기력 수준이 높을수록 선수들의 성격과 심리적 특성이 유사해진다.
② 기술 수준이 높을수록 선수들의 동질성이 증가한다.
③ 우수선수와 비우수선수 사이에는 불안대처 능력, 주의조절 능력, 심리기술 능력 등과 같은 인지전략에 차이가 있다.
④ 경기력 수준이 중간인 선수들은 선수들 간에 성격 특성이 명확하게 차이가 나타난다.

필수문제

16 정서의 특징을 설명한 것이다. 잘못된 것은?

① 정서는 관찰되는 것이 아니라 추론되는 것이다.
② 정서는 어떤 자극에 대한 사전 또는 사후의 반응이다.
③ 정시에는 실제적인 반응뿐만 아니라 잠재적인 반응도 포함된다.
④ 정서는 실제로 느끼는 것이다.

■어떤 자극에 대한 심리적인 반응을 **정서**라 하고, 그 사람이 실제로 느끼는 것을 **감정**이라고 한다.

필수문제

17 정서 상태를 측정할 수 있는 3가지 방법이 아닌 것은?

① 생리적(바이오피드백) 측정 : 땀, 맥박 등
② 행동 측정(관찰법) : 얼굴 표정, 행동 변화 등
③ 질문지법(자기보고서 측정) : 설문지 조사
④ 근육 측정 : 근력, 근육파워 등

■근육 측정은 정서 상태의 측정방법이 아니다.

정답 14 : ④, 15 : ④, 16 : ④, 17 : ④

필수문제

18 다음 설명 중 틀린 것은?

① 각성은 활발한 신체활동을 하기 위해서 활력을 돋우는 생리적 · 심리적 활성화 상태이다.
② 스트레스는 환경의 요구와 그 요구에 대응할 수 있는 반응능력의 차이 때문에 생긴다.
③ 스트레스는 신체적 · 정신적 건강에 나쁜 영향만 미친다.
④ 불안은 자신의 능력으로 어떻게 할 수 없는 부정적인 정서 상태와 연결되어 있다는 점이 각성이나 스트레스와 다르다.

■ 신체적 · 정신적 건강에 나쁜 영향을 미치면 유해한 스트레스이고, 반대로 좋은 영향을 미치면 유익한 스트레스라고 한다.

심화문제

19 스트레스 반응이 아닌 것은?

① 근육긴장의 감소
② 주변시각의 협소화
③ 주의산만
④ 각성수준의 증가

20 운동 시 스트레스 측정에 활용되지 않는 것은?

① 심박수
② 피부반응
③ 호르몬 변화
④ 반응시간

필수문제

21 웨이스와 아모로스(M. Weiss & A. Amorose, 2008)가 제시한 스포츠 재미(sport enjoyment)의 영향 요인으로 옳지 않은 것은?

① 인지능력
② 사회적 소속
③ 동작 자체의 감각 체험
④ 숙달과 성취

■ **스포츠 재미** : 과제 활동 시 만족감을 느끼는 심리적 요인. 재미를 체험함으로써 스트레스와 긴장에서 벗어날 수 있음.

■ **스포츠 재미의 요인과 결과**

사회적 소속, 동작 자체의 감각 체험, 숙달과 성취 →	스포츠 재미 →	스포츠 전념 →	스포츠 행동

정답 18 : ③, 19 : ①, 20 : ④, 21 : ①

심화문제

22 보기는 무엇을 설명한 것인가?

보기	
조절 가능	단기간 상쾌한 자극
가벼운 자극	감정 및 지적 발달

① 유쾌한 스트레스　② 재미　③ 탈진　④ 흥미

23 보기는 McGrath가 주장한 '스트레스가 생기는 4단계의 과정'이다. ( ) 속에 들어가야 할 말은?

보기
상황적(환경적) 요구 – (㉠) – (㉡) – 행동

① ㉠ 반응　㉡ 상황지각
② ㉠ 상황지각　㉡ 반응
③ ㉠ 느낌　㉡ 반응
④ ㉠ 반응　㉡ 느낌

■ 스트레스가 생기는 과정
① 상황적 욕구 ② 개인의 상황지각 ③ 반응 ④ 행동의 4단계이다.

필수문제

24 보기에 제시된 불안과 운동수행의 관계를 설명하는 이론은?

보기
» 선수가 불안을 어떻게 '해석'하느냐에 따라 운동수행이 달라질 수 있다.
» 선수는 각성이 높은 상태를 기분 좋은 흥분상태로 해석할 수도 있지만 불쾌한 불안으로 해석할 수도 있다.

① 역U가설(inverted-U hypothesis)
② 전환이론(reversal theory)
③ 격변이론(catastrophe theory)
④ 적정기능지역이론(zone of optimal functioning theory)

■ 보기는 전환이론(Apter)의 설명임.
■ 역U(자)가설(Yerkes & Dodson) : 처음에는 각성수준이 높아지면 운동수행 수준도 높아지지만, 각성수준이 너무 높아지면 운동수행 수준이 낮아진다.
■ 격변(카타스트로피)이론 : 각성수준이 적정수준 이상으로 커지거나 작아지면 운동수행수준이 격변한다.
■ 적정기능지역(최적수행지역)이론(Hanin) : 각성수준이 일정 구역(범위) 안에 있을 때 운동수행수준이 가장 높다.

정답 22 : ①, 23 : ②, 24 : ②

■ 불안의 종류
· **특성불안** : 자신의 선천적인 성격 때문에 생기는 불안
· **상태불안** : 어떤 상황에서 일시적으로 느끼는 불안
경쟁불안을 경쟁특성불안과 경쟁상태불안으로도 나눈다.
· **경쟁상태불안** : 실패에 대한 공포, 통제력 상실, 신체적 불만족 등으로 느끼는 불안

필수문제

25 보기는 무엇을 설명한 것인가?

보기
부적합한 느낌 통제력의 상실
실패에 대한 공포 불만족스러운 신체적인 증상

① 특성불안 ② 상태불안
③ 인지적 상태불안 ④ 경쟁상태불안

심화문제

26 보기에서 설명하는 개념은?

보기
피겨 스케이팅 경기에서 영희는 앞 선수가 완벽에 가까운 연기를 펼치자, 불안해지고 긴장되었다.

① 상태불안 ② 특성불안
③ 분리불안 ④ 부직강화

■ 어떤 상황에 처했을 때 일시적으로 느끼는 불안이 상태불안이다.

27 불안에 대한 설명 중 옳지 못한 것은?

① 특성불안 : 성격적으로 나타나는 불안이다.
② 촉진불안 : 불안을 긍정적으로 받아들여 수행에 도움이 된다.
③ 상태불안 : 선수의 외모 때문에 생기는 불안이다.
④ 전환이론(반전이론) : 불안을 해석하는 방법에 따라 정반대가 될 수도 있다.

■ 상태불안은 시합과 같은 환경적 상황 때문에 생기는 불안이다.

28 불안의 종류에 대한 설명이다. 옳지 못한 것은?

① 선천적으로 타고난 자신의 성격 때문에 생기는 불안을 특성불안이라고 한다.
② 어떤 상황에 처했을 때 일시적으로 느끼는 불안을 상태불안이라고 한다.
③ 스포츠상황에서 생기는 불안을 경쟁불안이라 하고, 경쟁불안은 일종의 특성불안이다.
④ 경쟁불안을 경쟁특성불안과 경쟁상태불안으로 나누기도 한다.

■ 경쟁불안은 일종의 상태불안이다.

정답 25 : ④, 26 : ①, 27 : ③, 28 : ③

필수문제

29 특성불안을 측정하는 검사지는?

① SCQ(Sport Cohesion Questionnaire)
② SCAT(Sport Competitive Anxiety Test)
③ CSAI - 2(Competitive State Anxiety Inventory - 2)
④ 16PF(Cattell's Sixteen Personality Factor Questionnaire)

- SCQ : 스포츠컨센서스질문지
- SCAT : 스포츠경쟁불안검사지(스포츠 상황에서 특성불안 측정)
- CSAI-2 : 경쟁상태불안검사지
- 16PF : 다요인인성검사지

심화문제

30 경쟁불안의 정도를 측정하기 곤란한 것은?

① 시합 전후에 나타나는 선수의 행동적 특징을 관찰해서 기록하고 분석한다.
② 근전도, 뇌전도, 피부전기저항, 호르몬, 소변 등을 측정해서 분석한다.
③ 심리검사 설문지에 응답하도록 해서 분석한다.
④ 시합 전 약 1개월 동안의 연습일지를 분석한다.

- ①은 행동적 측정, ②는 생리적 측정, ③은 심리적 측정이다.

필수문제

31 보기에서 경쟁불안이 일어나는 원인으로만 나열된 것은?

보기
㉠ 실패에 대한 두려움　　㉡ 적절한 목표설정
㉢ 높은 성취목표성향　　㉣ 승리에 대한 압박

① ㉠, ㉢　　② ㉢, ㉣　　③ ㉠, ㉣　　④ ㉡, ㉢

- 실패에 대한 공포, 부적감 또는 시설에 대한 불만, 승리에 대한 압박, 주위사람들의 기대감에 대한 부담 등이 경쟁불안의 원인이다(p. 49) 참조.

필수문제

32 과도한 훈련 또는 경기와 관련된 문제를 해결하지 못해서 심리적 · 생리적으로 완전히 지쳐버린 상태를 '탈진'이라고 한다. 보기는 탈진이 진행되어 가는 단계를 모형으로 나타낸 것이다. ( ) 안에 들어갈 것으로 가장 적당한 것은?

보기
인간 소외 – (㉠) – (㉡) – 탈진

① ㉠ 성취감 감소　㉡ 고립
② ㉠ 고립　㉡ 성취감 감소
③ ㉠ 일탈행　㉡ 벌
④ ㉠ 고립　㉡ 일탈행동

- 탈진 진행 단계
인간 소외→성취감 감소→고립→탈진

정답　29 : ②, 30 : ④, 31 : ③, 32 : ①

심화문제

33 탈진과 관련된 내용이 아닌 것은?

① 선수들의 경기력 향상을 도모하기 위해서 연구를 시작했다.
② 결정적인 원인은 다양한 심리적 문제이다.
③ 신체 에너지를 과도하게 사용한 결과로 생긴 생리적 피로이다.
④ 선수들이 탈진하면 정서고갈, 비인격화, 타인과의 괴리감, 성취감 저하 등을 초래한다.

■ 시합 전후에 나타나는 선수의 행동적 특징을 관찰하고, 기록 · 분석하기 위하여 탈진이 연구되기 시작하였다.

필수문제

34 보기에서 설명하는 심리기술훈련은?

보기
테니스선수 A는 평소 연습과는 달리 시합만 하면 생리적 각성상태가 높아져서 서비스 실수가 자주 발생한다. 스포츠지도사 B는 A 선수의 어깨 부분에 근육의 긴장도를 측정하는 센서와 가슴에 심박수를 측정하는 센서를 부착하였다. 불안감이 높아질 때 어깨 근육의 긴장도가 함께 증가하는 것을 시각적으로 보여 주면서 각성 조절능력을 높이도록 하였다.

① 심상훈련(imagery training)
② 자생훈련(autogenic training)
③ 바이오피드백훈련(biofeedback training)
④ 점진적이완훈련(progressive relaxation training)

■ **바이오피드백훈련** : 근육의 긴장도와 심박수와 같은 생체정보를 측정해서 보여주는 것임.
■ **심상훈련** : 어떤 대상을 직접 보는 것은 아니지만, 구체적으로 표현된 묘사나 비유를 보면서 대상을 직접 보고 겪는 것과 같은 느낌을 갖도록 하는 기술 훈련.
■ **자생훈련** : 스스로 최면상태에 도달하여 신체의 온도 변화를 직접 느끼는 기술 훈련.
■ **점진적 이완훈련** : 자기관리를 통해 자율신경계의 기능을 조절하고 스트레스를 완화시키는 훈련. 앉거나 누운 상태로 실시하고, 신체 부위에 긴장과 이완을 반복하는 것이 특징.

정답 33 : ①, 34 : ③

심화문제

35 보기의 ㉠과 ㉡에 들어갈 알맞은 용어는?

보기
» (㉠)은 불안을 감소시키기 위해 자기최면을 사용하여 무거움과 따뜻함을 실제처럼 느끼도록 유도하는 방법이다.
» (㉡)은/는 불안을 유발하는 자극의 목록을 작성한 후, 하나씩 차례로 적용하여 유발 감각 자극에 대한 민감도를 줄여 불안 수준을 감소시키는 방법이다.

	㉠	㉡
①	바이오피드백 (biofeedback)	체계적 둔감화 (systematic desensitization)
②	자생훈련 (autogenic training)	바이오피드백 (biofeedback)
③	점진적 이완 (progressive relexation)	바이오피드백 (biofeedback)
④	자생훈련 (autogenic training)	체계적 둔감화 (systematic desensitization)

■ 자생훈련 → 문제 34번 해설 참조
■ **체계적 둔감화** : 불안 또는 스트레스 유발 자극에 대한 이완 반응으로 불안이나 스트레스에 둔감해지게 하는 훈련

필수문제

36 보기에서 설명하는 이론은?

보기
» 각성 수준에 대한 개인의 인지적 해석에 따라 정서 경험이 다를 수 있다.
» 각성 수준이 높은 상태를 기분 좋은 흥분상태나 불쾌한 정서로 해석할 수 있다.
» 결정적 순간에 발생하는 심판의 오심은 선수의 정서 상태를 순간적으로 변화시킬 수 있다.

① 반전 이론 ② 카타스트로피 이론
③ 다차원불안 이론 ④ 최적수행지역 이론

■ **반전 이론(전환 이론)** : 높은 각성수준을 유쾌한 흥분으로 지각할 수도 있고 불안으로 해석할 수도 있다는 이론
■ **카타스트로피 이론** : 불연속 현상을 다루는 수학적 이론. 현상을 규정하는 조건의 근소한 변화가 상태를 변화시킨다는 것으로, 파국이론이라고도 한다.
■ **다차원불안 이론** : 불안을 인지적 불안과 신체적 불안으로 구분하고, 두 가지 모두 경기력에 영향을 미치는데 그 방식이 서로 다르게 나타난다는 이론.
■ **최적수행지역 이론** : 역U자가설을 바탕으로 한 이론으로, 선수별 · 운동종목별 등에 따라 적정 각성수준이 다를 뿐만 아니라 각성수준이 특정범위(지역) 안에 있을 때 높은 운동수행수준을 보일 수 있다는 이론.

정답 35 : ④, 36 : ①

심화문제

37 **보기의 불안과 운동수행 간의 관계를 설명하는 이론은?**

> 보기
> 인지불안이 높아지면, 생리적 각성이 증가함에 따라 운동수행도 점차 증가하지만 적정수준을 넘어서면 수행의 급격한 추락현상이 발생한다.

① 추동이론　　② 역U이론
③ 카타스트로피(격변)이론　　④ 심리에너지이론

■ pp. 49~50 참조

38 **불안과 운동수행의 관계를 설명하는 이론은 다양하다. 각성이 아주 낮거나 지나치게 높으면 수행에 방해가 되고, 적정한 수준의 각성이 최고의 운동수행을 가져온다고 주장하는 이론은?**

① 격변 이론　　② 최적수행지역 이론
③ 역U가설　　④ 다차원적불안 이론

■ **역U자이론**(역U가설) : 각성수준과 운동수행을 그래프로 그리면 ∩형태가 된다.

필수문제

39 **보기는 무슨 기법을 설명하는 것인가?**

> 보기
> » 습관적으로 하는 동작이나 절차이다.
> » 최상의 운동수행 능력을 발휘할 수 있는 상태에 도달하기 위해서 자신만의 고유한 동작이나 절차를 수행하는 것이다.

① 사고정지　　② 인지재구성　　③ 호흡조절　　④ 체계적 둔감화

■ **사고정지** : 부정적인 생각이 나지 않게 하는 방법
■ **인지재구성** : 부정적인 생각을 떨쳐 버리고 긍정적인 생각으로 대체하는 것.
■ **호흡조절** : 배로 숨을 쉬면서 불안과 긴장을 낮추는 훈련
■ **체계적 둔감화** : 자극에 반복적으로 노출하여 자극에 덜 민감해지게 하는 방법

심화문제

40 **부정적인 생각 때문에 불안이 높아지는 것을 막아줄 수 있는 방법은?**

① 주의집중　　② 사고정지
③ 수행정지　　④ 불안차단

■ 부정적인 생각이 들 때 생각나지 않게 하는 방법이 사고정지다.

41 **다음의 불안해소기법 가운데 부정적인 생각을 찾아내어 긍정적인 생각으로 바꾸는 기법은?**

① 호흡조절　　② 인지재구성
③ 자생훈련　　④ 바이오피드백

■ 생각을 바꾸는 것을 인지재구성이라고 한다.

정답 37 : ③, 38 : ③, 39 : ②, 40 : ②, 41 : ②

42 보기는 어떤 기법을 설명한 것인가?

보기
» 부정적인 생각을 긍정적인 생각으로 전환하는 기법이다.
» 자신이 통제할 수 없는 것은 신경을 쓰지 않고, 통제할 수 있는 것에만 집중한다.

① 사고정지 ② 인지재구성
③ 호흡조절법 ④ 자생훈련법

43 보기는 불안을 해소시키는 방법들을 설명한 것이다. 잘못 설명한 것들만을 모은 것은?

보기
1. 바이오피드백훈련 : 정서상태를 간접적으로 알 수 있는 생체신호를 측정하면서 긴장을 완화할 수 있는 방향으로 훈련한다.
2. 명상 : 심신을 이완시키고 마음을 통제할 수 있도록 훈련.
3. 자생훈련법 : 스스로 살아갈 수 있도록 훈련.
4. 점진적 이완기법 : 신체 각 부위의 근육을 차례로 이완시킨다.
5. 인지재구성법 : 긍정적인 생각을 부정적인 생각으로 바꾸려고 노력한다.
6. 호흡조절법 : 숨을 빨리 쉬고 천천히 쉬기를 일정한 시간간격으로 반복한다.

① 3 ② 6
③ 3, 5 ④ 3, 5, 6

■ **자생훈련법** : 자기 스스로 최면상태에 도달해서 신체의 무게를 느끼고 체온의 상승을 유도하는 기술 훈련.
■ **인지재구성법** : 부정적인 생각을 긍정적인 생각으로 전환하는 훈련.
■ **호흡조절법** : 숨을 배로 쉬면서(복식호흡) 불안과 긴장을 낮추는 훈련.

44 각성수준이 높아질수록 경기력이 향상된다고 보는 이론은?

① 역U자 이론 ② 욕구 이론
③ 적정수행구역 이론 ④ 카타스트로피 이론

45 보기에서 설명하는 것은?

보기
신체부위의 따뜻함과 무거움을 느끼게 해주는 일련의 동작들로 구성되어 있다.

① 바이오피드백훈련 ② 점진적이완기법
③ 자생훈련법 ④ 호흡조절법

■ 불안해소를 위해 스스로 최면상태에 도달해서 신체의 무게를 느끼고 체온상승을 유도하는 기술 훈련이 자생훈련법이다.

정답 42 : ②, 43 : ④, 44 : ②, 45 : ③

필수문제

46 다음은 경쟁불안 또는 각성수준과 운동수행의 관계를 설명하는 이론에 대한 설명이다. 설명이 잘못된 것은?

① 욕구(추동) 이론 : 각성수준과 운동수행은 반비례한다.

② 적정수준(역U자) 이론 : 각성수준과 운동수행을 그래프로 그리면 ∩와 같은 형태가 된다.

③ 적정기능구역(최적수행지역) 이론 : 각성수준이 어떤 구역(범위) 안에 들었을 때 운동수행을 가장 잘 할 가능성이 높다.

④ 다차원불안 이론 : 신체적 불안, 인지적 불안, 자신감이 운동수행에 미치는 영향은 모두 다른 형태이다. 즉 불안은 다차원적이다.

■ 각성수준과 운동수행은 비례한다는 것이 욕구 이론이다(pp. 49~50 참조).

필수문제

47 보기에서 설명하는 개념은?

보기
철수는 처음으로 깊은 바닷속으로 다이빙하면서 각성 수준이 높아졌다. 높은 각성 수준으로 인해 깊은 바닷속에서 시야가 평소보다 훨씬 좁아졌다.

① 스트룹 효과(stroop effect)

② 칵테일 파티 효과(cocktail party effect)

③ 맥락간섭 효과(contextual-interference effect)

④ 지각 협소화(perceptual narrowing)

■ **스트룹 효과** : 말의 의미와 색상이 일치하지 않는 자극을 설명할 때에는 말의 의미와 색상이 일치하는 자극을 설명할 때보다 반응시간이 더 걸리는 현상

■ **칵테일 파티 효과** : 시끄러운 파티장의 소음 속에서도 본인의 흥미를 가진 이야기는 선택적으로 잘 들을 수 있는 현상

■ **맥락간섭 효과** : 운동기술을 연습할 때 다양한 요소들 간에 발생하는 간섭 효과

■ **지각 협소화** : 각성수준이 높아져 주의를 기울일 수 있는 폭이 점점 좁아지는 현상

심화문제

48 보기의 내용과 관련 있는 불안이론은?

보기

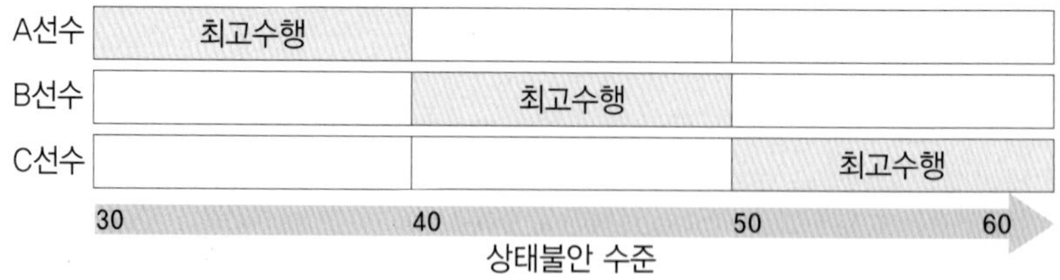

① 적정수준이론(optimal level theory)

② 전환이론(reversal theory)

③ 다차원불안이론(multidimensional anxiety model)

④ 최적수행지역이론(zone of optimal functioning theory)

■ 최적수행지역이론 →p. 50 참조

정답 46 : ①, 47 : ④, 48 : ④

필수문제

49 **다음은 경쟁불안 또는 각성수준과 운동수행의 관계를 설명하는 이론에 대한 설명이다. 설명이 잘못된 것은?**

① 다차원불안 이론 : 경쟁불안은 다차원적이기 때문에 운동수행 결과를 예측하기 위해서는 1개의 경쟁불안 요인만 알면 된다.
② 반전 이론 : 각성수준의 높고 낮음을 유쾌하거나 불쾌하다고 항상 일정하게 해석하는 것이 아니고, 그 사람의 동기형태에 따라 정반대로 해석할 수도 있다.
③ 카타스트로피(격변) 이론 : 각성수준이 적정수준 이상으로 커지거나 적정수준 이하로 작아지면 운동수행이 갑자기 변한다(격변한다).
④ 심리에너지 이론 : 각성을 긍정적으로 생각하면 긍정적인 심리에너지가 생겨서 경기수행능력이 좋아지고, 반대이면 반대가 된다.

■ 다차원불안 이론 : 신체적 불안, 인지적 불안, 자신감 등은 모두 다른 형태이므로 불안을 다차원적으로 보는 이론이다. 다차원불안 이론에서는 적어도 3개 이상의 경쟁불안 요인을 알아야 한다.

심화문제

50 **보기의 대화 내용 중 지도자의 설명과 관련된 불안이론은?**

> 보기
> 선 수 : 감독님! 시합이 다가오니 초조하고 긴장이 되어 잠이 오질 않습니다.
> 지도자 : 영운아! 시합이 다가오면 누구나 불안을 느끼지만, 불안을 어떻게 해석하느냐에 따라 경기수행이 달라지는 거야! 시합을 좀 더 긍정적이고 희망적인 것으로 해석하도록 노력하렴! 나는 너를 믿는다!

① 추동(욕구) 이론(drive theory)
② 카타스트로피 이론(catastrophe theory)
③ 심리 에너지 이론(mental energy theory)
④ 최적수행지역 이론(zone of optimal functioning theory)

■ 심리에너지 이론 : 각성을 긍정적으로 생각하면 긍정적인 심리에너지가 생겨서 경기수행능력이 좋아지고, 반대이면 반대가 된다.

51 **개인차가 매우 크며, 최고의 수행을 발휘하는 데 자신만의 고유한 불안수준이 있다는 이론은?**

① 최적수행지역 이론 ② 추동 이론
③ 역U자가설 ④ 전환 이론

정답 49 : ①, 50 : ③, 51 : ①

■ 반전이론 : 각성수준의 높고낮음을 유쾌나 불쾌로 일정하게 해석하는 것이 아니라 그 사람의 동기 형태에 따라 정반대로 해석할 수도 있다는 이론.

52 그림은 무슨 이론을 설명하는 것인가?

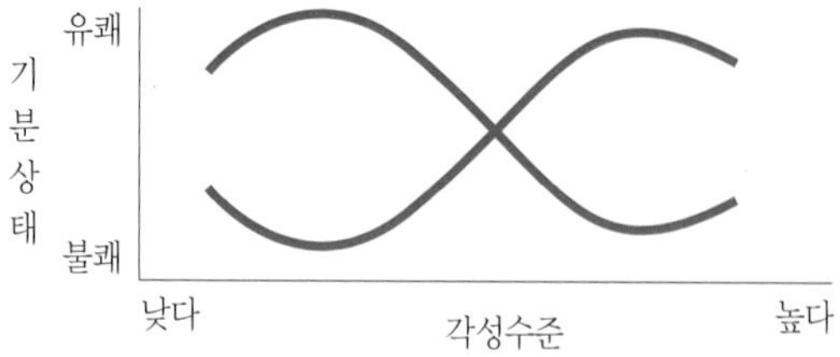

① 적정기능구역(최적수행지역) 이론　　② 반전 이론
③ 격변 이론　　④ 욕구(추동) 이론

■ 인지재구성 : 부정적인 생각을 떨쳐버리고 긍정적인 생각으로 대체하는 것
■ 자생훈련(자율훈련) : 스스로 최면상태에 도달해서 신체의 무게를 느끼고 체온상승을 유도하는 기술의 훈련
■ 점진적 이완 : 신체 각 부위의 근육을 차례로 이완시켜 스트레스의 부정적인 영향을 중화시키려는 방법
■ 사고정지 : 부정적인 생각이 들 때 상각나지 않게 하는 방법

53 보기에서 설명하는 개념은?

> 보기
> 양궁 선수 A는 첫 엔드에서 6점을 한 발 기록했다. 그러나 A는 바람 부는 상황으로 인해 총 36발의 슈팅 중에서 6점은 한 번 정도 나올 수 있는 점수이며, 첫 엔드에 나온 것이 다행이라고 긍정적으로 생각했다.

① 사고 정지(thought stopping)
② 자생 훈련(autogenic training)
③ 인지 재구성(cognitive restructuring)
④ 점진적 이완(progressive relaxation)

■ 운동선수 탈진의 세 가지 요인 : 성취감 저하, 정서적 · 신체적 고갈, 스포츠 평가절하
■ 경쟁상태불안 : 시합이나 경쟁 상황에서 나타나는 불안상태 측정요인임.

필수문제

54 레이데크와 스미스(T. Raedeke & A. Smith, 2001)의 운동선수 탈진질문지(Athlete Burnout Questionnaire: ABQ)의 세 가지 측정 요인이 아닌 것은?

① 성취감 저하(reduced sense of accomplishment)
② 스포츠 평가절하(sport devaluation)
③ 경쟁상태불안(competitive state anxiety)
④ 신체적/정서적 고갈(physical, emotional exhaustion)

정답　52 : ②, 53 : ③, 54 : ③

심화문제

55 보기에서 괄호 안을 설명하는 용어는?

> 보기
> » (㉠)은 운동수행에 관한 부정적 생각, 걱정 등의 의식적 지각이다.
> » (㉡)은/는 과도한 신체 · 심리에너지 사용으로 인한 심리생리적 피로의 결과이다.
> » (㉢)은 환경의 위협 정도와 무관하게 불안을 지각하는 잠재적 성향이다.
> » (㉣)에 따르면 각성수준과 운동수행수준은 비례한다.

	㉠	㉡	㉢	㉣
①	신체불안	스트레스	상태불안	역U이론
②	신체불안	탈진	특성불안	추동이론
③	인지불안	탈진	특성불안	추동이론
④	인지불안	스트레스	상태불안	역U이론

■**인지불안** : 경기력에 대한 부정적 생각이나 걱정으로 인한 부정적인 자기평가
■**탈진** : 심리적 · 생리적으로 완전히 지쳐버린 상태
■**특성불안** : 선천적인 성격으로 인한 불안
■**욕구(추동)이론** : 각성수준과 운동수행은 비례한다.

필수문제

56 동기의 개념과 동기의 속성에 대한 설명이다. 잘못 설명한 것은?

① 개인이 어떤 욕구를 만족시키기 위해서 어떻게 행동하겠다고 마음먹는 것이 '동기'이다.
② Sage는 노력의 방향과 강도를 결정해주는 것이 '동기'라고 정의했다.
③ 어떤 행동을 시작하게 하거나, 계속해서 하도록 만드는 원동력이 된다.
④ 자신의 욕구를 약화시키거나 행동의 방향을 결정하지 못하도록 하는 속성 있다.

■동기는 자신의 욕구를 강화시키거나 행동의 방향을 설정하게 만드는 속성이 있다.

심화문제

57 동기의 속성이 아닌 것은?

① 행동의 시발　　② 행동의 빈도
③ 행동의 강화　　④ 행동의 지속

■동기의 속성은 노력의 방향과 강도 결정, 행동을 지속하게 하는 원동력, 행동의 방향 결정이다.

정답 55 : ③, 56 : ④, 57 : ②

필수문제

58 동기가 생기는 원인에 대한 설명이다. 잘못 설명한 것은?

① 사회학습적인 관점 : 개인이 사회에서 학습한 결과가 동기이다.
② 특성지향적인 관점 : 사람의 성격적인 특성이 동기를 결정한다.
③ 상황지향적인 관점 : 개인이 처한 상황과 환경에 의해서 동기가 결정된다.
④ 상호작용적인 관점 : 개인의 특성과 상황의 상호작용에 의해서 동기가 결정된다.

■동기가 생기는 원인은 특성지향적 관점, 상황지향적 관점, 상호지향적 관점이다.
■동기는 마음속에서 우러나와 생기는 것이지 배우는 것이 아니다.

필수문제

59 스포츠지도자가 일반인 또는 선수의 동기를 유발시키면 그 사람의 행동에 어떤 변화가 생기게 되는데, 그 변화를 '동기유발의 기능' 또는 '동기유발의 효과'라고 한다. 동기유발의 기능에 대한 설명 중 잘못 설명한 것은?

① 시발기능(활성화기능) : 어떤 행동을 시작하게 만든다.
② 지향기능 : 목표의 방향을 결정해준다.
③ 선택기능(조절기능) : 목표를 달성하기 위해서 특정 행동을 선택하게 한다.
④ 강화기능 : 행동결과에 따라서 정적 강화 또는 부적 강화를 제공한다.

■목표의 방향을 결정해주는 것이 아니라 목표를 달성하기 위해서 어떻게 행동해야 할 것인지 행동의 방향을 결정해주는 것이 지향기능이다.

심화문제

60 선수의 동기유발 차원에서 아래와 같은 행동을 했다. 코치의 행동을 가장 잘 설명한 것은?

> A 선수를 맡은 코치는 선수가 자신감이 없는 것을 알고 그 원인을 분석했다. 그 결과 경기에서 지나치게 심리적 불안을 느끼고 있으며, 실패할 것이라는 두려움이 컸다. 이에 코치는 비교적 쉬운 과제를 주고, 경기에 대한 심리적 스트레스를 주는 행동을 자제했다.

① 자신감을 주기 위해 스트레스를 주는 행동을 자제했다.
② 자신감을 주기 위해서 쉬운 과제를 제시해 주었다.
③ 사회적 설득을 하기 위해 노력하였다.
④ 대리경험을 주기 위해 노력하였다.

정답 58 : ①, 59 : ②, 60 : ②

필수문제

61 보기가 설명하는 자기결정이론(self-determination theory)의 동기 유형으로 가장 적절한 것은?

보기
동수는 배드민턴에 흥미를 느끼고 스포츠클럽 활동을 시작했다. 시간이 지날수록 재미가 없어져서 클럽을 그만두고 싶었지만, 지도자와 동료들로부터 부정적인 평가를 받기 싫어서 클럽 활동을 유지하고 있다.

① 무동기(amotivation)
② 행동규제(behavior regulation)
③ 확인규제(identified regulation)
④ 의무감규제(introjected regulation)

- **의무감규제** : 자신이나 타인의 인정을 바라며, 죄책감이나 불안 등의 자기비난을 모면하기 위해 하는 동기화된 행동.
- **무동기** : 학습동기가 내면화되어 있지 않고 행동의지가 없으며, 원하는 결과를 성취할 수 없다고 생각하기 때문에 행동에 가치를 부여하지 않고 행동하지 않는 학습된 무기력 상태의 동기.
- **행동규제** : 개인의 내·외적 환경과 자신의 내면화를 통해 이루어지는 측면에서 인간의 발달과정을 설명함. 이때의 행동규제는 내재적 동기와 외재적 동기 모두 중요한 것으로 본다.
- **확인규제** : 내적 흥미보다 개인적 중요성과 자신이 설정한 목표 달성을 위해 동기화된 행동.

필수문제

62 보기에 제시된 내용과 관련된 반두라(A. Bandura)의 자기효능감 향상 요인은?

보기
» 자신이 판단하기에 기술적으로 과거보다 향상되었음을 느꼈다.
» 시합 전 우승 장면을 자주 떠올린다.
» 결승골을 넣어 이겼던 적이 많다.

① 성공경험
② 간접경험
③ 언어적 설득
④ 신체·정서 상태 향상

- **자기효능감 향상 요인**
  - **성공경험** : 시합에서 승리한 경험
  - **간접경험** : 다른 사람의 경기를 관찰함으로써 얻는 정보
  - **언어적 설득** : 수행자에게 과제를 성공적으로 수행할 수 있다는 믿음을 주는 것.
  - **신체·정서 상태 향상** : 과제를 수행할 때 신체·정서적 각성에 의해 변화한 행동

정답 61 : ④, 62 : ①

심화문제

63 **반두라(A. Bandura)의 자기효능감(self-efficacy) 이론에 대한 설명으로 적절하지 않은 것은?**

① 자기효능감이 높은 선수는 역경 상황에 잘 대처한다.
② 타인의 수행에 대한 관찰은 자기효능감에 영향을 주지 않는다.
③ 자기효능감은 농구드리블과 같은 구체적인 기술을 수행할 수 있다는 믿음이다.
④ 경쟁상황에서 각성상태에 대해 부정적으로 인식할 때 자기효능감은 떨어질 수 있다.

■타인의 수행을 잘 관찰하면 나도 할 수 있다는 자기효능감이 생긴다.

64 **보기 중 자기효능감 이론에 의해서 자신감을 향상시킬 수 있는 방법만을 모은 것은?**

보기
1. 간이게임을 통해서 경쟁기회를 제공한다.
2. 연습을 통해서 동료들과 협동심을 유발한다.
3. 칭찬과 격려를 해준다.
4. 골대와의 거리를 줄여서 슛에 성공하는 기회를 늘린다.
5. 잘하는 학생의 시범을 통해서 성공장면을 보여준다.
6. 최상의 컨디션을 유지시킨다.

① 1, 2, 3, 4
② 1, 2, 5, 6
③ 1, 4, 5, 6
④ 3, 4, 5, 6

■3은 언어적 설득, 4는 과거의 성공경험, 5는 대리경험, 6은 생리적·정서적 각성에 해당된다.

필수문제

65 **자기결정성 이론에서 인간에게 있는 기본적인 욕구에 들어가지 않는 것은?**

① 관계성
② 융통성
③ 자결성
④ 유능성

■자기결정성 이론에는 관계성, 자결성, 유능성의 욕구가 있다.

필수문제

66 **데시(E. L. Deci)의 인지평가이론에 대한 내용이 아닌 것은?**

① 칭찬과 같은 긍정적 정보를 제공하면 유능성이 향상되어 내적동기가 증가한다.
② 부정적 피드백을 제공하면 유능성이 낮아져 내적동기가 감소된다.
③ 지도자의 일방적 지시는 자결성을 낮추어 내적동기를 감소시킨다.
④ 선수들이 스스로 의사결정을 하게 되면 유능성이 향상되어 내적동기가 증가한다.

■선수들이 의사결정을 한다고 해서 반드시 유능성이 향상되는 것은 아니다.

정답 63 : ②, 64 : ④, 65 : ②, 66 : ④

심화문제

67 다음 중 내적 동기에 해당되는 것은?

① 처벌　　② 즐거움
③ 연봉인상　　④ 명예획득

■ 내적 욕구를 만족시키기 위해 생기는 동기가 내적 동기이다.

68 동기에 대한 설명으로 옳지 않은 것은?

① 내적동기보다 외적동기가 더 중요하다.
② 내적동기와 외적동기로 나눌 수 있다.
③ 외적동기에는 경기 결과에 따른 상, 벌, 칭찬 등이 해당한다.
④ 내적동기에는 경기 자체에 대한 즐거움, 보람 등이 해당한다.

69 운동실천을 위한 중재전략 중 내적동기 전략에 해당하는 것은?

① 매월 운동참여율이 70% 이상인 회원에게 경품을 제공한다.
② 헬스클럽에서 출석상황과 운동수행 정도를 그래프로 게시한다.
③ 에스컬레이터 대신 계단이용을 권장하는 포스터를 부착한다.
④ 운동 목표를 재미에 두어 즐거움과 몰입을 체험하게 한다.

■ 자신의 마음속으로 즐기도록 하는 것이 내적동기 전략이다.

70 효율적인 운동수행을 위해 내적동기를 유발시키는 방법으로 적절하지 않은 것은?

① 과제 난이도를 적절히 조절하여 성공경험을 갖게 한다.
② 운동수행에 대한 시상, 칭찬 등의 보상을 한다.
③ 과제의 난이도를 현저히 높인다.
④ 목표설정 과정에 참여시킨다.

■ 과제의 난이도를 약간 높이면 내적 동기를 유발시키지만, 너무 높이면 포기해 버린다.

71 인지평가 이론(cognitive evaluation theory)에서 내적 동기를 높일 수 있는 방법으로 옳지 않은 것은?

① 타인과의 관계성을 높여준다.
② 자신의 능력에 대해 유능감을 높여준다.
③ 행동을 결정하는데 있어 자율성을 갖게 한다.
④ 행동결과에 대한 보상의 연관성을 강조한다.

■ 인지평가 이론에서 내적 동기를 높일 수 있는 방법은 자율성(자결성), 유능감, 외부에서 일어나는 사건의 정보적 측면(타인과의 관계성)이다.

정답 67 : ②, 68 : ①, 69 : ④, 70 : ③, 71 : ④

원인 소재의 뜻

72 다음은 원인 소재 또는 통제 소재에 관한 설명이다.

귀인을 설명할 때 나오는 말로 'locus of control'을 번역한 것이 통제소재이고, 'locus of attribution'을 번역한 말이 원인소재이다. 'locus'가 '궤적, 흔적'이라는 뜻도 있지만 '~이 발생한 장소'라는 뜻도 있기 때문에 '~에 소재하고 있다.'라는 뜻으로 소재라고 번역한 것으로 보인다. 그렇지만 어쩐지 우리말 같은 느낌이 들지 않는다. 원인소재를 그냥 원인이 있는 위치(내적요인과 외적요인), 통제소재를 통제하는 사람(자신이 통제, 다른 사람이 통제)이라고 하는 것이 좋을 것 같다. 4가지 중요한 귀인요인인 노력 · 능력 · 운 · 과제의 난이도를 인과소재(원인이 있는 곳이라는 뜻이다)라고 하는 것도 비슷한 맥락에서 나온 말이다.

필수문제

73 귀인에 대한 설명이다. 틀린 것은?

① 실패의 원인을 '...으로 귀속시키는 것' 또는 '...의 탓으로 돌리는 것'이다.
② 실패의 원인이 상황적 특성 때문이라고 귀인하는 것을 상황적 귀인이라고 한다.
③ 실패의 원인이 성격 또는 기질 때문이라고 귀인하는 것을 기질적 귀인이라고 한다.
④ 기질적 귀인이 상황적 귀인보다 바람직하다.

■ 기질적 귀인이 가장 바람직하지 못한 귀인이다.

필수문제

74 4가지 중요 귀인 요인을 안정성과 통제성으로 분류한 것이다. 틀린 것은?

① 노력 : 불안정, 통제 가능
② 능력 : 안정적, 통제 가능
③ 운 : 불안정, 통제 불가능
④ 과제의 난이도 : 안정적, 통제 불가능

■ 안정적은 변하기 어려운 것, 불안정은 변하기 쉬운 것이다. 통제 가능은 내맘대로 바꿀 수 있는 것, 통제 불가능은 내맘대로 할 수 없는 것이다.
■ 능력은 유전적으로 내려 받은 것이라고 생각하기 때문에 안정적, 통제 불가능한 것으로 분류된다.

정답 73 : ④, 74 : ②

필수문제

75 **귀인의 기본적인 오류에 대한 설명이다. 틀린 것은?**

① 자신이 실패한 원인을 상황적 특성 때문이라고 귀인한다.
② 타인이 실패한 원인을 기질적 특성 때문이라고 귀인한다.
③ 자신은 별 수 없어서 실패했고, 남은 성격이 못되어서 실패했다고 생각한다.
④ 근본적으로 귀인에는 오류가 있을 수밖에 없다.

■ 귀인의 기본적 오류
· 실패의 원인을 상황적 특정으로 본다.
· 타인의 실패원인을 그 사람의 기질적 특성으로 본다.
· 자신은 별 수가 없어서 실패했고, 타인은 성격이 못되어 실패했다고 본다.

필수문제

76 **와이너(B. Weiner)의 귀인이론에서 4가지 귀인요소를 원인소재(locus of control)와 안정성(stability)에 따라 분류할 때 보기의 괄호 안에 적절한 것은?**

보기
(㉠)은/는 불안정한 외적 요소이고, (㉡)은/는 안정된 내적 요소이고, (㉢)은/는 불안정한 내적 요소이며, (㉣)은/는 안정된 외적 요소이다.

	㉠	㉡	㉢	㉣
①	능력	노력	과제난이도	운
②	노력	과제난이도	운	능력
③	과제난이도	운	능력	노력
④	운	능력	노력	과제난이도

■ 표에서 불안정적 · 외부는 '운'이고, 안정적 · 내부는 '능력'이다.

능력	노력	운	과제난이도
내부	내부	외부	외부
안정적	불안정적	불안정적	안정적
통제 불가	통제 가능	통제 불가	통제 불가

심화문제

77 **와이너(B. Weiner)의 경기 승패에 대한 귀인이론에 관한 설명으로 옳지 않은 것은?**

① 노력은 내적이고 불안정하며 통제 가능한 요인이다.
② 능력은 내적이고 안정적이며 통제 불가능한 요인이다.
③ 운은 외적이고 불안정하며 통제 불가능한 요인이다.
④ 과제난이도는 외적이고 불안정하며 통제할 수 있는 요인이다.

■ ④ 과제난이도 : 외적, 안정적, 통제불가

정답 75 : ④, 76 : ④, 77 : ④

■실패의 원인을 자신의 능력보다 상대의 능력이 우수하다고 하였으므로 외적 요인이고, 상대가 운이 아닌 실력으로 나를 이겼으므로 안정적 요인이며, 이것들은 내가 통제할 수 없으므로 통제불가능 요인이다.
■문제 76에서 능력을 보면 내부, 안정적, 통제불가라고 쓰여 있다. 그런데 이 문제에서는 상대의 능력이라고 했으므로 내부가 아니라 외부이다.

78 보기에 해당하는 와이너(B. Weiner)의 귀인 범주를 바르게 나열한 것은?

보기
탁구 선수 A는 경기에서 패배한 것을 상대 선수의 능력이 자신보다 더 우수하였기 때문이라고 생각했다.

	안정성	인과성	통제성
①	안정적 요인	외적 요인	통제 가능요인
②	안정적 요인	외적 요인	통제 불가능요인
③	불안정적 요인	외적 요인	통제 가능요인
④	불안정적 요인	내적 요인	통제 불가능요인

심화문제

79 Weiner의 3차원 귀인 모델에서 4가지 중요한 귀인 요인이 아닌 것은?

■노력, 능력, 운의 3가지와 '과제의 난이도'가 중요한 귀인 요인이다.

① 노력
② 능력
③ 운
④ 안정성

필수문제

80 보기의 참가자를 위한 와이너(B. Weiner)의 귀인 이론에 기반한 지도 방법으로 옳은 것은?

보기
수영 교실에 참가하는 A씨는 다른 참가자들보다 수영에 재능이 없어 기술 습득이 늦다고 생각한다. 이로 인해 결석이 잦고 운동 중단이 예상된다.

■귀인이론에 의한 지도방법은 성공의 원인은 자신의 능력에서 찾고, 실패의 원인은 노력 부족이나 전략 미흡으로 생각하도록 훈련하는 것임.

① 외적이며 안정적이고 통제 불가능한 개인의 노력에 귀인할 수 있도록 지도한다.
② 내적이며 안정적이고 통제 가능한 개인의 능력에 귀인할 수 있도록 지도한다.
③ 외적이며 안정적이고 통제 불가능한 개인의 능력에 귀인할 수 있도록 지도한다.
④ 내적이며 불안정적이고 통제 가능한 개인의 노력에 귀인할 수 있도록 지도한다.

정답 78 : ②, 79 : ④, 80 : ④

필수문제

81 '학습된 무기력'에 대한 설명이다. 틀린 것은?

① 실패의 원인을 '실패할 수밖에 없었기 때문이다.'라고 믿는 것이다.
② 귀인 중에서 가장 바람직한 귀인이다.
③ 학습된 무기력에 빠진 선수는 성취지향적으로 변화시키기 어렵다.
④ 실패의 원인을 불안정적이고 통제가능한 것(예 : 노력, 연습)에서 찾도록 도와주어야 한다.

■ 학습된 무기력은 가장 바람직하지 못한 귀인이다.

심화문제

82 실패에 대한 귀인 중 가장 바람직한 것은?

① 과제가 너무 어려웠다. ② 운이 나빴다.
③ 자신의 능력이 부족했다. ④ 노력이 부족했다.

■ 성공의 원인은 자신의 능력에서 찾고, 실패의 원인은 노력 부족이나 전략 미흡 때문이라고 생각하도록 훈련하는 것이 바람직하다.

필수문제

83 목표설정에 대한 설명이다. 틀린 것은?

① 인간은 합리적으로 행동하기 때문에 목표 또는 의도에 의해서 인간의 행동이 결정된다고 본다.
② 목표에는 노력의 강도, 노력의 방향, 노력을 지속하게 하는 힘이 내포되어 있어야 한다.
③ 목표는 객관적 목표와 주관적 목표로 나눌 수 있고, 주관적 목표는 다시 결과목표와 수행목표로 나눌 수 있다.
④ 수행에 초점을 맞추는 수행목표보다 결과에 초점을 맞추는 결과목표가 더 바람직한 목표이다.

■ 결과목표보다 수행목표가 더 바람직하다.

심화문제

84 목표설정에서 수행목표로 적절한 것은?

① 한국시리즈에서 우승한다.
② 올림픽에서 메달을 획득한다.
③ 20km 단축 마라톤에서 1위를 한다.
④ 서브에서 팔꿈치를 완전히 펴서 스윙한다.

■ ①, ②, ③은 결과를 중시한 목표이다.
■ ④는 수행목표이다.

정답 81 : ②, 82 : ④, 83 : ④, 84 : ④

필수문제

85 자기목표성향(ego – goal orientation) 보다 과제목표성향(task – goal orientation)이 높은 선수의 특성으로 가장 적절한 것은?

① 달성하기 어려운 목표를 설정한다.
② 평가상황에서는 평소보다 수행이 더 저조할 수 있다.
③ 상대 선수의 실수로 인해 승리하였다고 생각한다.
④ 자신의 노력 부족으로 인해 패배하였다고 생각한다.

■

과제목표성향	· 실현 가능성이 있거나 약간 힘든 목표 설정 · 노력 · 협동 등으로 성공 경험 · 몰입 체험 증가 · 자신의 노력 부족이 패인이라는 생각(절대평가)
자기목표성향	· 실현 불가능 또는 매우 쉬운 목표 설정 · 내적 동기 감소 · 몰입 체험 감소 · 승리를 통해 성공 경험 · 패인이 상대에게 있다는 생각(상대평가)

필수문제

86 보기는 성취목표성향 이론에서 자기목표성향(ego - goal orientation)과 과제목표성향(task - goal orientation)에 관한 예시이다. 이에 대한 해석이 옳은 것은?

보기
인호와 영찬이는 수업에서 테니스를 배운다. 이 둘은 실력이 비슷하다. 하지만 수업에서 인호는 테니스 기술을 배우는 것보다 다른 친구와 테니스 게임을 하여 이기는 것을 좋아한다. 반면에 영찬이는 테니스 기술에 중점을 두며 테니스 기술을 연마할 때마다 뿌듯해 한다.

① 영찬이는 실현 불가능한 과제를 자주 선택할 것이다.
② 인호는 자신의 기술향상을 위하여 개인 노력을 중시한다.
③ 인호는 영찬이를 이겼을 때 자신이 잘해서 승리하였다고 생각한다.
④ 인호는 학습의 증진과 연관된 자기 - 참고적(self - reference)인 목표를 가진 학생이다.

■ 인호는 게임을 하여 이기는 것을 좋아하므로 자신이 잘해서 승리했다고 생각할 것이다.

정답 85 : ④, 86 : ③

심화문제

87 성취목표 성향을 잘못 설명한 것은?

① 기술이 향상되었거나 노력을 많이 했으면 유능하고 성공했다고 느끼는 것은 과제지향 성향이다.
② 남보다 더 잘했거나 노력을 덜 하고도 남과 똑같은 것을 달성했을 때 만족하게 느끼는 것은 자기지향 성향이다.
③ 과제지향 성향과 자기지향 성향이 동시에 나타나는 것은 환경의 영향 때문이다.
④ 자기지향 성향은 운동기술의 숙련도와는 관계가 없다.

■자기지향 성향과 과제지향 성향 모두 운동기술의 숙련도를 높일 수 있다.

필수문제

88 목표설정의 원리 중 틀린 것은?

① 목표는 구체적으로 정하면 안 되고, 개략적으로 정해야 한다.
② 달성가능하고 도전가치가 있는 목표이어야 한다.
③ 목표의 난이도가 조금만 높아도 포기해 버려야 한다.
④ 결과를 완성할 구체적인 시간이 명시되어 있어야 한다.

■목표는 구체적으로 정해야 하고, 난이도가 높을수록 목표에 몰입하고 도전의식을 가져야 한다.

심화문제

89 스포츠 목표설정의 원리에 포함되지 않는 것은?

① 구체적인 목표
② 측정 가능한 목표
③ 과도하게 높은 목표
④ 시간을 정해둔 목표

정답 87 : ④, 88 : ①, ③, 89 :③

06 Chapter 스포츠수행의 심리적 요인 2

자신감

1 자신감의 개념

자신감이란 자신의 능력이나 가치를 믿는 신념 또는 의지를 말한다.

자신감과 유사한 개념	자기효능감	특정한 문제를 자신의 능력으로 해결할 수 있다는 신념 또는 기대감.
	낙관주의	미래에 자신에게 좋은 일이 생길 것이라고 생각하는 긍정적인 기대.
	자존감	자기 자신을 사랑하고 존중하는 마음.

2 자신감이 있는 선수들의 특징

- ☞ 차분하게 경기에 임한다.
- ☞ 주의집중을 잘 한다.
- ☞ 훈련이나 경기에서 더 노력한다.
- ☞ 목표성취가 어렵게 되면 더욱 더 노력한다.
- ☞ 적절한 경기전략을 활용한다.
- ☞ 역경이나 실수를 하더라도 빨리 자신감을 회복한다.

3 자신감의 특성(속성)

- ☞ 자신감은 선천적으로 타고 나는 것이 아니라 후천적으로 길러진다.
- ☞ 긍정적인 피드백은 자신감을 올려주고 부정적인 피드백은 자신감을 낮추어주는 때가 많지만 반대인 경우도 있다.
- ☞ 성공이 자신감을 향상시킬 때가 많지만 저하시킬 때도 있다. 실패도 마찬가지다.
- ☞ 실수가 자신감을 저하시킬 때도 있지만 오히려 향상시킬 수도 있다.

4 Bandura의 자기효능감 이론

- ☞ 성공경험이 많을수록 자신감이 향상된다.
- ☞ 다른 선수가 성공하는 모습을 보거나(대리경험), 주요 타자의 격려 또는 칭찬(사회적 설득)이 있으면 자신감이 향상된다.
- ☞ 신체적 · 정서적 컨디션이 좋으면 자기효능감도 높아진다.

5 Harter의 유능성동기 이론

- ☞ 사람에게는 자신이 유능하다는 것을 남에게 보여주고 싶어 하는 유능성동기가 있다.
- ☞ 유능성을 보여주기 위해서 숙달행동을 시도한다.
- ☞ 성공하면 유능성동기가 높아지고, 실패하면 유능성동기가 낮아진다.

☞ 실패해서 유능성동기가 낮아진 상태에서 숙달행동을 다시 시도해서 성공하면 유능성동기가 회복되지만 또 실패하면 포기하게 된다.

6 스포츠 자신감

☞ 자신이 스포츠 경쟁에서 이길 수 있는 능력이 있다고 믿는 것이다.

☞ 한 종목의 스포츠를 잘 하는 사람은 자신감이 생겨서 다른 스포츠를 하는 데에도 긍정적인 영향을 미친다.

7 자신감을 향상시킬 수 있는 방법

☞ 성공경험 또는 대리경험을 할 수 있는 기회를 늘린다.

☞ 긍정적인 내용의 혼잣말(자화)을 한다.

☞ 지나간 실수 또는 앞으로 닥칠 일을 생각하지 않는다.

☞ 긍정적인 정서를 갖고 자기관리를 하면서 시합을 준비한다.

8 신체적 자기개념

☞ 문화 · 나이 · 성을 불문하고 총체적 자기개념에서 가장 중요함.

☞ 자신의 신체에 대해 느끼는 정도인데, 신체적 자기개념이 향상되면 총체적 자기개념을 향상시킬 수 있음.

☞ Fox와 Cobin의 모형은 자기 신체에 대한 지각 정도를 스포츠유능감, 신체적 컨디션, 매력적인 몸매, 체력의 4가지임. 이것으로 자기의 가치를 느끼게 되면 총체적인 자기개념을 느끼게 된다고 함.

☞ 여기서 신체적 자기가치란 신체적 자아에 대한 행복, 만족, 자부심, 존중 등에 대한 일반적인 느낌을 뜻함.

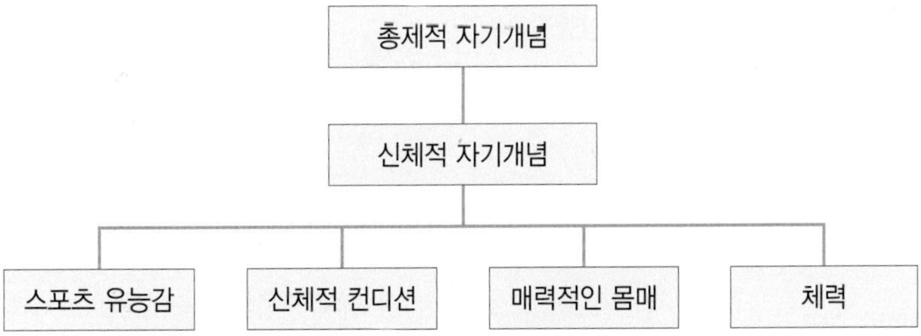

Fox와 Cobin의 자기개념 다차원적 · 위계적 모델

출처 : http : //edumon.tistory.com/658

심상

1 심상의 정의

☞ 모든 감각을 활용하여 마음속으로 어떤 경험을 재현하거나 창조하는 것이다.

☞ 기억 속에 있는 감각 경험을 회상해서 외적인 자극 없이 내적으로 수행하는 과정이다.

☞ 지각적인 자극이 없는 상태에서 지각경험과 유사한 것을 재현하거나 새로 만들어내는 것이다.

☞ 실제로는 신체적인 활동을 하지 않으면서 활동하는 것을 머릿속으로 상상하는 것이다.

2 심상의 유형

내적 심상	수행자 자신의 관점에서 수행 장면을 상상하는 것. 운동감각을 느껴보려고 할 때 적합하다.
외적 심상	관찰자의 관점에서 수행 장면을 상상하는 것. 잘못된 동작을 수정하려고 할 때 적합하다.

3 심상의 효과에 영향을 미치는 요인

심상의 종류	내적 심상과 외적 심상이 있으며, 그 효과는 각각 다르게 나타난다.
심상의 선명도	떠올리는 이미지가 뚜렷할수록 심상의 효과가 좋고, 많은 감각을 동원할수록 이미지가 선명해진다.
심상의 조절력	원하는 이미지를 떠올릴 수 있어야 한다. 부정적인 이미지가 자꾸 떠오르면 부정적인 효과가 생긴다.
기술 수준	개인의 기술 수준이 높을수록 심상의 효과가 크다.

4 심상의 효과 : 사람마다 다르다

☞ 자신감을 향상시킬 수 있다.

☞ 동기를 유발할 수 있다.

☞ 자신의 에너지 수준을 관리할 수 있다.

☞ 기술을 학습하고 완성할 수 있다.

☞ 주의가 산만해졌을 때 재집중할 수 있다.

☞ 시합에 들어가기 전에 마음의 준비를 할 수 있다.

5 심상의 효과에 대한 이론

심리신경근 이론	심상연습을 하면 실제로 운동하는 것과 유사한 자극이 근육과 신경에 가해진다.
상징학습 이론	운동을 하면 그 운동의 요소들이 뇌에 상징(부호=code)으로 기록된다. 심상연습이 그 상징(부호)들을 연습할 수 있는 기회를 제공한다.
생체정보 이론 (심리생리적 정보처리 이론)	심상은 뇌의 장기기억 속에 미리 저장되어 있는 것(preposition= 전제)이고, 전제에는 자극전제와 반응전제가 있다. 운동을 일으키게 하는 자극에 관련된 내용이 자극전제이고, 자극에 대하여 반응하는 내용과 관련된 것이 반응전제이다. 그러므로 심상을 통해서 운동수행을 향상시키려면 반응전제를 반복적으로 수정・강화해야 한다.
각성활성화 이론	심상훈련을 하면 운동하기에 적합할 정도로 각성 수준이 활성화된다.

주의집중

1 주의집중의 개념

주의	관심을 기울일 대상을 선정하는 것 또는 그러한 능력.
주의집중	주위로부터 받아들인 정보 중에서 개인이 처한 상황에 적합하게 주의를 기울이는 것.

2 주의의 특성

☞ 한 번에 관심을 기울일 수 있는 정보의 양에는 한계가 있다(용량성).

☞ 어떤 특정 대상을 선택해서 관심의 초점을 맞출 수 있다(선택성).

☞ 몇 가지 대상에 관심을 나누어서 기울일 수 있다(배분성).

☞ 예고 없이 일어나는 자극에 순간적으로 반응할 준비가 되어 있다(준비성 또는 경계성).

3 주의의 종류(유형)

나이데퍼(Nideffer : 1976)는 주의는 주의를 기울일 수 있는 범위가 넓다 ↔ 좁다와, 주의를 기울이는 방향이 안쪽(내적) ↔ 바깥쪽(외적)의 2차원으로 구성되어 있기 때문에 오른쪽과 같이 4종류의 주의가 있다고 하였다.

넓은-내적	한 번에 많은 양의 정보를 분석할 수 있다.
좁은-내적	하나의 단서에만 주의의 초점을 맞춘다.
넓은-외적	상황을 빠르게 판단할 수 있다.
좁은-외적	한두 가지 목표에만 주의를 집중할 수 있다.

4 주의집중과 운동수행의 관계

☞ 선수의 정서 상태와 주의집중 능력 사이에는 깊은 관계가 있다.

☞ 과제수행에 필요한 주의 형태와 선수가 잘하는 주의 유형에 따라서 수행능력에 차이가 생긴다.

☞ 수행자의 주의초점 능력과 주의전환 능력에 따라 수행에 차이가 생긴다.

☞ 오랫동안 주의를 집중할 수 있는 능력(에너지양)에 따라 수행에 차이가 생긴다.

5 주의 형태의 변화

경기 도중에 심하게 압박을 받으면 선수의 주의 형태가 달라진다.

☞ 정신적 유연성이 감소한다.

☞ 주의집중의 범위가 좁아진다.

☞ 각성수준이 높아져서 주의 형태가 좁은-내적으로 변한다.

☞ 신체감각과 같은 내적 대상에 주의가 집중된다.

6 주의집중의 향상 방법

☞ 주의산만 요인에 노출시킨다.

☞ 주의초점의 전환을 연습한다.

☞ 지금 현재 수행하고 있는 일에 전념한다.
☞ 적정 각성수준을 찾는다.
☞ 주의 재집중 훈련을 한다.
☞ 조절할 수 있는 것에 집중한다.
☞ 수행 전 루틴을 개발하여 연습한다.

루틴

1 루틴의 개념

최상의 경기력을 발휘할 수 있는 여건에 도달하기 위해서 선수가 자신만의 독특한 동작이나 절차를 습관적으로 행하는 것을 루틴이라고 한다. 그러므로 루틴은 연습 시간에 개발되고 훈련되는 신체적 · 심리적 · 환경적인 기술/기반이다.

2 루틴의 효과

☞ 상황변화에 긍정적으로 대처하게 한다.
☞ 경기 중에 예상치 못한 경기상황 변화에 적절히 대처할 수 있게 한다.
☞ 자신이 조절할 수 있는 요인에 주의를 기울이게 한다.
☞ 외적요인의 악화에 적절하게 대처할 수 있게 한다.

3 루틴의 종류(유형)

경기 전 루틴	경기 전에 하는 루틴
수행 간 루틴	경기 중에 하는 루틴
경기 후 루틴	경기 후에 하는 루틴
미니 루틴(수행루틴, 인지전략)	특정한 동작을 하기 직전에 하는 루틴

4 우수선수들의 인지전략

심상	자신에게 도움이 되는 심상을 시합 전에 미리 연습한다.
합리성	통제 가능한 요인을 집중적으로 통제하려고 노력한다.
시합전략	시합에 대한 아주 구체적인 계획이 있다.
각성조절	최적의 수행을 할 수 있도록 각성(불안)수준을 조절한다.

필수 및 심화 문제

필수문제

01 경쟁상황에서의 목표성취가 자신의 능력과 성공을 반영한다고 생각하는 것과 가장 유사한 개념은?

① 자기효능감　② 유능성동기
③ 스포츠자신감　④ 경쟁지향성

- 자신감 : 자신의 능력이나 가치를 믿는 신념 또는 의지.
- 자신감과 유사한 개념
  - · 자기효능감 : 특정한 문제를 자신의 능력으로 해결할 수 있다는 신념 또는 기대감.
  - · 낙관주의 : 미래에 자신에게 좋은 일이 생길 것이라고 생각하는 긍정적인 기대.
  - · 자존감 : 자기 자신을 사랑하고 존중하는 마음.

심화문제

02 보기에서 설명하는 자기존중감(self-esteem) 향상과 관련된 가설로 가장 적절한 것은?

보기
» 정기적으로 운동하여 체지방의 감량과 체형의 변화를 확인하였다.
» 피트니스센터에 가면 정서적 안정감을 느낀다.
» 스포츠지도사로부터 칭찬을 자주 받는다.
» 가족들로부터 운동참여에 대한 지지를 받고 있다.

① 신체상(body-image) 향상설
② 자기도식(self-schema) 향상설
③ 자기효능감(self-efficacy) 향상설
④ 자기결정성(self-determination) 향상설

- 자기존중감과 자기효능감은 거의 같은 말이다.

03 자신감 및 유사용어를 설명한 것이다. 틀린 것은?

① 자신의 능력이나 가치를 믿는 신념 또는 의지를 '자신감'이라고 한다.
② 특정한 문제를 자신의 능력으로 해결할 수 있다는 신념 또는 기대감을 '자기효능감'이라고 한다.
③ 미래에 자신에게 좋은 일이 생길 것이라고 생각하는 긍정적인 기대를 '비관주의'라고 한다.
④ 자기 자신을 사랑하고 존중하는 마음을 '자존감'이라고 한다.

- 미래에 자신에게 좋은 일이 생길 것이라고 생각하는 긍정적 기대는 낙관주의이다.

정답　01 : ③, 02 : ③, 03 : ③

필수문제

04 보기 중에서 자신감이 있는 선수들의 특징이라고 보기 어려운 것을 모두 고른 것은?

■자신감이 있는 선수들의 특징
· 차분하게 경기에 임한다.
· 주의집중을 잘 한다.
· 훈련이나 경기에서 더 노력한다.
· 목표성취가 어렵게 되면 더욱 더 노력한다.
· 적절한 경기전략을 활용한다.
· 역경이나 실수를 하더라도 빨리 자신감을 회복한다.

보기
㉠ 차분하게 경기에 임한다.
㉡ 주의집중을 잘 못한다.
㉢ 훈련이나 경기에서 더 노력한다.
㉣ 목표성취가 어렵게 되면 포기한다.
㉤ 적절한 경기전략을 활용한다.
㉥ 한 번 실수하면 다시는 자신감을 회복하지 못한다.

① ㉠, ㉡, ㉢, ㉣　　② ㉢, ㉣, ㉤, ㉥
③ ㉠, ㉢, ㉤　　④ ㉡, ㉣, ㉥

심화문제

05 우수선수들의 인지전략을 설명한 것이다. 잘못 설명한 것은?

① 심상 : 자신에게 도움이 되는 심상을 시합 전에 미리 연습한다.
② 합리성 : 통제 가능한 요인을 집중적으로 통제하려고 노력한다.
③ 시합전략 : 시합에 대한 구체적인 계획이 없다.
④ 각성조절 : 최적의 수행을 할 수 있도록 각성(불안)수준을 조절한다.

■우수선수들은 시합에 대하여 아주 구체적인 계획을 가지고 있다.

필수문제

06 스포츠 자신감에 대한 설명이다. 옳은 것을 모두 고르시오.

■자신감의 특성(속성)
· 선천적이 아니라 후천적으로 길러진다.
· 긍정적인 피드백→자신감 향상
· 부정적인 피드백→자신감 저하
· 성공과 실패→자신감 향상 또는 저하
· 실수→자신감 향상 또는 저하

① 자신이 모든 스포츠를 다 잘할 수 있다고 믿는 것이다.
② 자신이 스포츠 경쟁에서 이길 수 있는 능력이 있다고 믿는 것이다.
③ 한 종목의 스포츠를 잘 하는 사람은 자신감이 생겨서 다른 스포츠를 하는 데에도 긍정적인 영향을 미친다는 것이다.
④ 경기력이 약간 부족하더라도 자신 있게 경기에 임하면 이길 수 있다는 것이다.

심화문제

07 다음 중 틀린 것은?

① 자신감은 선천적으로 타고 나는 성격 특성이 아니다.
② 긍정적인 피드백은 자신감을 올려주고 부정적인 피드백은 자신감을 낮추어준다.
③ 성공은 자신감을 저하시키고, 실패는 자신감을 향상시킨다.
④ 자신감은 적절한 훈련과 긍정적으로 생각하는 습관을 통해서 후천적으로 발달시킬 수 있다.

■성공은 자신감을 향상시키고, 실패는 자신감을 저하시킨다.

정답　04 : ④, 05 : ③, 06 : ②, ③, 07 : ③

필수문제

08 Bandura의 자기효능감 이론에 대한 설명이다. 옳지 않은 것은?

① 성공경험이 많을수록 자신감이 향상된다.
② 다른 선수가 성공하는 모습을 보아도(대리경험) 자신감이 향상된다.
③ 주요 타자의 격려 또는 칭찬(사회적 설득)이 있으면 자신감이 향상된다.
④ 신체적 · 정서적 컨디션은 경기력에는 영향을 미치지만 자기효능감과는 상관이 없다.

■ 컨디션이 좋으면 자기효능감도 높아진다(p. 80 참조).

심화문제

09 Bandura가 제안한 자기효능감 강화방법이 아닌 것은?

① 성공경험　② 실패경험
③ 사회적 설득　④ 대리경험

■ 자기효능감 모델
- 성공경험
- 대리경험
- 언어적 설득(사회적 설득)
- 정서적 각성

필수문제

10 Harter의 유능성동기 이론에 대한 설명이다. 틀린 것은?

① 사람에게는 자신이 유능하다는 것을 남에게 보여주고 싶어 하는 유능성동기가 있다.
② 유능성을 보여주기 위해서 숙달행동을 시도한다.
③ 성공하면 유능성동기가 높아지고, 실패하면 유능성동기가 낮아진다.
④ 실패 때문에 유능성동기가 낮아진 상태에서는 더 이상 숙달행동을 시도하지 않는다.

■ 숙달행동을 다시 시도해서 성공하면 유능성동기가 회복되지만, 또 실패하면 포기하게 된다(p. 80 참조).

필수문제

11 자신감을 향상시킬 수 있는 방법으로 적당한 것은?

① 기술이 완벽해야 승리할 수 있다는 신념을 갖는다.
② 긍정적인 정서를 갖고 자기관리를 하면서 시합을 준비한다.
③ 경기 전에는 양적인 훈련을 한다.
④ 경기 전에 비디오로 실수한 장면을 보면서 수정할 방법을 연구한다.

■ 긍정적인 내용의 혼잣말(자화)을 하는 것도 자신감을 향상시키는 한 가지 방법이다.

심화문제

12 긍정적인 자기암시를 주기 위한 심리기법은?

① 자화　② 자신감　③ 자기효능감　④ 심상

■ 긍정적인 내용의 혼잣말(자화)을 하면 자신감을 향상시킨다.

정답 08 : ④, 09 : ②, 10 : ④, 11 : ②, 12 : ①

13 자신감을 향상시킬 수 있는 방법이 아닌 것은?

① 성공경험 또는 대리경험을 할 수 있는 기회를 늘린다.
② 긍정적인 내용의 혼잣말(자화)을 한다.
③ 지나간 실수를 자꾸 머리에 떠올린다.
④ "이번 경기에서는 잘 할 수 있을거야!"라고 생각한다.

■ 지나간 실수나 앞으로 닥칠 일을 생각하면 자신감이 향상되지 않는다.

14 자신감 향상과 관련이 가장 깊은 것은?

① 혼잣말 ② 자생훈련 ③ 심호흡훈련 ④ 바이오피드백훈련

필수문제

15 보기에 제시된 폭스(K. Fox)의 위계적 신체적 자기개념 가설(hypothesized hierarchical organization of physical self-perception)에 관한 설명으로 바르게 묶인 것은?

보기
㉠ 신체적 컨디션은 매력적 신체를 유지하는 능력이다.
㉡ 신체적 자기 가치는 전반적 자기존중감의 상위영역에 속한다.
㉢ 신체 매력과 신체적 컨디션은 신체적 사기가치의 하위영역에 속한다.
㉣ 스포츠 유능감은 스포츠 능력과 스포츠 기술 학습 능력에 대한 자신감이다.

① ㉠, ㉡ ② ㉠, ㉢
③ ㉡, ㉣ ④ ㉢, ㉣

■ ㉢ **신체적 자기개념의 하위영역** : 스포츠 유능감, 신체적 컨디션, 매력적인 몸매, 체력
■ ㉣ **스포츠 유능감** : 운동 능력, 스포츠 기술 학습 능력, 스포츠에 대한 자신감
■ ㉠ **신체적 컨디션** : 체력에 대한 인식, 운동 지속 능력, 운동을 할 때의 자신감
■ ㉡ **신체적 자기 가치** : 신체적 자아에 대한 행복, 만족, 자부심, 존중 등에 대한 일반적인 느낌
■ ※참조→p. 81

필수문제

16 심상의 정의로 옳다고 볼 수 없는 것은?

① 모든 방법을 총동원해서 어떤 경험을 재현하거나 창조하는 것이다.
② 기억 속에 있는 감각경험을 회상해서 외적인 자극 없이 내적으로 수행하는 과정이다.
③ 지각적인 자극이 없는 상태에서 지각경험과 유사한 것을 재현하거나 새로 만들어내는 것이다.
④ 실제로는 신체적인 활동을 하지 않으면서 활동하는 것을 머릿속으로 상상하는 것이다.

■ 심상은 모든 방법을 총동원하는 것이 아니고, 모든 감각을 활용하여 어떤 경험을 재현하거나 창조하는 것이다.

정답 13 : ③, 14 : ①, 15 : ④, 16 : ①

심화문제

17 보기의 괄호 안에 들어갈 용어는?

> 보기
> (　　　)은/는 모든 감각을 활용하여 과거의 성공 경험을 회상하거나 미래의 성공적 운동수행을 마음속으로 상상함으로써 자신감을 향상시키고 집중력을 높인다.

① 심상　　② 목표설정　　③ 인지적 재구성　　④ 체계적 둔감화

18 심상에 대한 설명이다. 틀린 것은?

① 심상에 모든 감각기관을 동원할 수 있다.–시각적 심상, 청각적 심상, 근육감각적 심상, 공감각적 심상
② 심상으로 회상뿐만 아니고 새로운 경험을 창조할 수도 있다.
③ 심상을 내적 심상과 외적 심상으로 나눌 수도 있다.
④ 잘못된 동작을 수정하려고 할 때에는 내적 심상이 더 적합하다.

■ 운동감각을 느껴보려고 하면 내적 심상, 잘못된 동작을 수정하려고 하면 외적 심상이 적합하다.

19 심상에 대한 설명 중 옳지 않은 것은?

① 실수한 장면을 자꾸 떠올려서 수정해야 기술이 발전된다.
② 각성조절과 전략연습에 심상을 이용할 수 있다.
③ 신체적인 훈련을 할 수 없을 때에 훈련을 대체하는 효과가 있다.
④ 동기를 부여하는 역할을 한다.

■ 실수한 장면을 자꾸 떠올리면 부정적인 효과가 생긴다.

필수문제

20 보기에서 심상의 활용으로 적절한 것은?

> 보기
> ㉠ 각성 수준을 높인 상태에서 진행한다.
> ㉡ 시각만을 활용해 진행한다.
> ㉢ 성공하는 장면을 선명하게 그린다.
> ㉣ 운동의 동작을 구체적으로 포함한다.

① ㉠, ㉡　　② ㉠, ㉣
③ ㉡, ㉢　　④ ㉢, ㉣

■ 심상은 가능한 한 떠오르는 이미지가 선명하고 구체적이어야 좋다.

정답 17 : ①, 18 : ④, 19 : ①, 20 : ④

심화문제

21 우수선수들의 인지전략을 설명한 것이다. 잘못 설명한 것은?

① 훈련 : 시합에 대비해서 구체적인 전략을 미리 연습한다.
② 루틴 : 시합 전후에 주의집중을 방해하는 요인을 줄이기 위해서 루틴을 실시한다.
③ 집중 : 당면한 시합에 고도로 집중한다.
④ 심상 : 자신에게 도움이 되는 심상을 시합 후에 연습한다.

■ 심상은 시합 전에 연습한다(리허설).

22 심상훈련 과정에서 주의해야 할 내용 중 바른 것은?

① 소음이 있는 장소에서 실시한다.
② 신체적 요소만을 사용하여 전체적으로 분절된 동작을 심상해야 한다.
③ 실제 경기 상황과 동일한 속도로 심상해야 한다.
④ 이미 실패한 수행 장면만 심상한다.

23 보기는 심상을 활용하는 방법 중에서 어느 것에 해당되는가?

> 보기
> 가상적으로 상대를 설정하고 수비와 공격 전략을 머릿속으로 연습한다.

① 기술의 학습과 연습　　② 전략의 학습과 연습
③ 각성반응의 조절　　④ 심리적 기술의 연습

필수문제

24 보기에 제시된 심상(imagery)의 요소로 바르게 나타낸 것은?

> 보기
> ㉠ 선수 : 시합에서 느꼈던 자신감, 흥분, 행복감을 실제처럼 시각화한다.
> ㉡ 선수 : 부정적인 수행 장면을 성공적인 수행 이미지로 바꾼다.

	㉠	㉡
①	주의 연합 (attentional association)	주의 분리 (attentional dissociation)
②	선명도 (vividness)	조절력 (controllability)
③	외적 심상 (external imagery)	집중력 (concentration)
④	통제적 처리 (controlled processing)	자동적 처리 (automatic processing)

■ **선명도** : 떠올리는 이미지가 뚜렷할수록 심상의 효과가 좋고, 많은 감각을 동원할수록 이미지가 선명해진다.
■ **조절력** : 원하는 이미지를 떠올린다.

정답 21 : ④, 22 : ③, 23 : ②, 24 : ②

필수문제

25 스포츠에서 심상을 활용해서 향상시키지 못할 것이 없다고 할 정도로 심상의 효과는 대단히 다양하지만, 심상의 효과는 개인마다 다르다. 잘못 설명한 것은?

① 심상의 지향 : 내적심상과 외적 심상의 효과가 다르게 나타난다.

② 심상의 선명도 : 떠올리는 이미지가 뚜렷할수록 심상의 효과가 좋고, 많은 감각을 동원할수록 이미지가 선명해진다.

③ 심상의 조절력 : 원하는 이미지를 떠올릴 수 있어야 한다. 부정적인 이미지가 자꾸 떠오르면 부정적인 효과가 생긴다.

④ 기술수준 : 개인의 기술수준과 심상의 효과 사이에는 아무런 관계도 없다.

■ 기술수준이 높을수록 심상의 효과가 좋아진다.

필수문제

26 심상이 운동수행을 향상시키는 효과가 있다는 이론에 대한 설명이다. 옳지 않은 것은?

① 심리신경근 이론 : 심상연습을 하면 실제로 운동하는 것과 유사한 자극이 근육과 신경에 가해진다.

② 상징학습 이론 : 운동을 하면 그 운동의 요소들이 뇌에 상징(부호=code)으로 기록된다. 심상연습이 그 상징(부호)들을 연습할 수 있는 기회를 제공한다. 즉 상징을 학습한다.

③ 생체정보 이론(심리생리적 정보처리 이론) : 심상은 뇌의 장기기억 속에 미리 저장되어 있는 것(preposition=전제)이고, 전제에는 자극전제와 반응전제가 있다. 운동을 일으키게 하는 자극에 관련된 내용이 자극전제이고, 자극에 대하여 반응하는 내용과 관련된 것이 반응전제이다. 그러므로 심상을 통해서 운동수행을 향상시키려면 반응전제를 반복적으로 수정 · 강화해야 한다.

④ 각성활성화 이론 : 심상훈련을 하면 각성 수준이 낮아져서 정신적으로 안정된다.

■ 심상훈련을 하면 운동하기에 적합할 정도로 각성 수준이 활성화된다는 이론이 각성활성화 이론이다.

정답 25 : ④, 26 : ④

■㉡, ㉣ **상징학습이론** : 운동을 하면 그 운동 요소들이 뇌에 상징(code)으로 기록된다. 심상연습이 그 상징들을 연습할 수 있는 기회를 제공한다.
■㉠ **심리신경근 이론** : 문제 26의 ① 참조
■㉢ **생물(생체)정보 이론** : 문제 26의 ③ 참조
■㉡, ㉣ **상징학습 이론** : 문제 26의 ② 참조

필수문제

27 보기에 제시된 심상에 대한 이론과 설명이 바르게 묶인 것은?

보기
㉠ 심리신경근 이론에 따르면 심상을 하는 동안에 실제 동작에서 발생하는 근육의 전기 반응과 유사한 전기 반응이 근육에서 발생한다.
㉡ 상징학습 이론에 따르면 심상은 인지 과제(바둑)보다 운동과제(역도)에서 더 효과적이다.
㉢ 생물정보 이론에 따르면 심상은 상상해야 할 상황 조건인 자극전제와 심상의 결과로 일어나는 반응 전제로 구성된다.
㉣ 상징학습 이론에 따르면 생리적 반응과 심리 반응을 함께하면 심상의 효과는 낮아진다.

① ㉠, ㉡ ② ㉠, ㉢ ③ ㉡, ㉢ ④ ㉢, ㉣

■심상 연습을 하면 실제로 운동하는 것과 유사한 자극이 신경과 근육에 가해진다는 이론이 심리신경근 이론이다.
■심상의 효과에 대한 이론(p. 82) 참조.

필수문제

28 보기에서 설명하는 심상의 효과와 관련된 이론은?

보기
» 운동선수가 특정 움직임을 상상할 때, 뇌에서는 실제 움직임이 일어날 때와 유사한 반응이 발생한다.
» 어떤 동작을 생생하게 상상하면 실제 동작과 유사한 근육의 미세 움직임이 일어난다.

① 상징학습 이론(symbolic learning theory)
② 간섭 이론(interference theory)
③ 정보처리 이론(information processing theory)
④ 심리신경근 이론(psychoneuromuscular theory)

심화문제

29 심상을 하면 실제 동작과 같은 근육자극이 되어 운동기억을 강화해준다는 이론은?

① 심리신경근 이론 ② 격변 이론
③ 상징적학습 이론 ④ 생리역학적 이론

정답 27 : ②, 28 : ④, 29 : ①

필수문제

30 주의집중 방법으로 적절하지 않은 것은?

① 축구 경기에서 관중의 방해를 의식하지 않는다.
② 골프 경기에서 마지막 홀에 있는 해저드를 생각한다.
③ 테니스 서브를 루틴에 따라 실행한다.
④ 야구 경기에서 지난 이닝의 수비 실책은 잊고 현재 수행에 몰입한다.

■ **주의집중** : 받아들인 정보 중에서 개인이 처한 상황에 맞도록 주의를 기울이는 것임. 골프경기에서 해저드에 대해 생각하는 것은 주의집중이 아님.

필수문제

31 주의는 개인이 어떤 대상에 대하여 관심을 기울이는 것을 말한다. 주의의 특성 중 틀린 것은?

① 한 번에 관심을 기울일 수 있는 정보의 양에는 한계가 있다.(용량성)
② 어떤 특정 대상을 선택해서 관심의 초점을 맞출 수 있다.(선택성)
③ 몇 가지 대상에 관심을 나누어서 기울일 수 있다.(배분성)
④ 예고 없이 일어나는 자극에는 순간적으로 반응하지 못한다.(준비성)

■ 예고 없이 일어나는 자극에 순간적으로 반응할 준비가 되어 있는 것을 **준비성**(또는 경계성)이라고 한다.

필수문제

32 나이데퍼(R. Nideffer)의 주의초점 모형을 근거로, 보기의 내용에 해당하는 주의의 폭과 방향은?

> 보기
> 배구 선수가 서브를 준비하면서 상대 진영을 살핀 후, 빈 곳을 확인하여 그곳으로 공을 서브하였다.

① 광의 외적에서 협의 외적으로
② 광의 내적에서 광의 외적으로
③ 협의 내적에서 광의 외적으로
④ 협의 외적에서 협의 외적으로

넓은-내적	한 번에 많은 양의 정보를 분석할 수 있다.
좁은-내적	하나의 단서에만 주의의 초점을 맞춘다.
넓은-외적	상황을 빠르게 판단할 수 있다.
좁은-외적	한두 가지 목표에만 주의를 집중할 수 있다.

정답 30 : ②, 31 : ④, 32 : ①

심화문제

33 **주의집중은 범위와 방향에 따라 '넓은-좁은'과 '내적-외적' 유형으로 분류할 수 있다. 이러한 4가지 유형을 골프경기 상황별로 단계화하여 연결한 설명으로 틀린 것은?**

① 넓은 외적 주의집중 / 골프장의 바람, 코스 상황, 관중
② 넓은 내적 주의집중 / 정보분석(이전 경험 추출), 클럽 선택
③ 좁은 내적 주의집중 / 계획 수립 및 클럽 선택
④ 좁은 외적 주의집중 / 공 자체를 보고 샷

34 **Nideffer는 주의가 범위의 넓고 좁음과 방향의 내적과 외적이라는 두 차원으로 구성되어 있다고 주장하면서 각각의 유형에 대하여 장 · 단점을 설명하였다. 틀린 것은?**

① 넓은-내적 : 한 번에 많은 양의 정보를 분석할 수 있다.
② 좁은-내적 : 하나의 단서에만 초점을 맞춘다.
③ 넓은-외적 : 상황을 빠르게 판단할 수 있다.
④ 좁은-외적 : 여러 가지 목표에 집중할 수 있다.

■ 좁은-외적인 주의유형은 한두 가지 목표에만 집중할 수 있다(32번 문제 참조).

35 **보기의 상황에 해당하는 나이데퍼(R. M. Nideffer)의 주의유형으로 가장 적절한 것은?**

보기
사격선수인 효운이는 시합에서 오로지 표적을 바라보며 조준하고 있다.

① 넓은-내적　　② 좁은-내적
③ 넓은-외적　　④ 좁은-외적

■ 보기는 좁은(협의)-외적에 대한 주의유형이다.

36 **보기에서 괄호가 설명하는 것은?**

보기
» (　　　)은/는 관심을 기울일 대상의 선정이다. » (　　　)유형은 폭과 방향으로 구성된다. » 나이데퍼(R. Nideffer)는 (　　　)의 유형을 넓은-내적, 좁은-내적, 넓은-외적, 좁은-외적의 4가지로 구분해 설명한다.

① 주의(attention)
② 관심(interest)
③ 집중(concentration)
④ 몰입(flow)

■ **주의** : 관심을 기울인 대상을 선정하는 것 또는 그러한 능력
■ **주의의 유형** : 너비와 방향
■ **나이데퍼의 주의의 유형** : 넓은-내적, 좁은-내적, 넓은-외적, 좁은-외적

정답 33 : ③, 34 : ④, 35 : ④, 36 : ①

필수문제

37 주의집중과 운동수행의 관계를 설명한 것이다. 틀린 것은?

① 선수의 정서상태와 주의집중 능력 사이에는 아무런 관계도 없다.
② 과제수행에 필요한 주의형태와 선수가 잘하는 주의유형에 따라서 수행능력에 차이가 생긴다.
③ 수행자의 주의초점 능력과 주의전환 능력에 따라 수행에 차이가 생긴다.
④ 오랫동안 주의를 집중할 수 있는 능력(에너지양)에 따라 수행에 차이가 생긴다.

■ 주의집중과 운동수행의 관계
· 정서상태와 주의집중 능력 사이에는 깊은 관계가 있다.
· 과제수행에 필요한 주의 형태와 선수가 잘하는 주의 유형에 따라서 수행능력에 차이가 생긴다.
· 수행자의 주의초점 능력과 주의전환 능력에 따라 수행에 차이가 생긴다.
· 오랫동안 주의를 집중할 수 있는 능력(에너지양)에 따라 수행에 차이가 생긴다.

필수문제

38 Etzel이 스포츠경기에서 선수의 주의집중에 영향을 미치는 요소라고 주장한 것이 아닌 것은?

① 용량 : 총에너지량
② 지속성 : 집중시간
③ 융통성 : 주의를 전환하는 능력
④ 예측성 : 꼭 필요한 요인에 주의를 집중

■ Etzel의 주의집중 요소
· **용량** : 에너지의 증량
· **지속성** : 집중시간
· **융통성** : 주의 전환 능력
· **선택성** : 필수불가결의 요인에 주의집중

■ 꼭 필요한 요인에 주의를 집중하는 것은 예측성이 아니라 선택성이다.

심화문제

39 다음 중 주의와 경기력과의 상호작용에 대한 설명으로 적절한 것은?

① 사격과 양궁 경기 중 관중의 소란은 경기에 전혀 영향을 주지 않는다.
② 선수의 자동화가 높을수록 부적절한 주의를 줄이고 경기력 향상에 도움을 준다.
③ 골프는 상황과 관중 등으로부터 경기력에 가장 영향을 적게 받는 경기이다.
④ 구기 종목의 홈그라운드는 경기과정이나 결과에 전혀 영향을 미치지 않는다.

40 경기 도중 심한 압박감을 받았을 때 주의형태가 변하는 것을 설명한 것이다. 옳지 못한 것은?

① 정신적 유연성이 감소한다.
② 주의집중의 시야가 좁아진다.
③ 각성수준이 높아져서 주의형태가 넓은–외적으로 변한다.
④ 주의가 신체감각과 같은 내적 대상에 집중된다.

■ 심한 압박감을 받으면 각성수준이 높아져서 주의형태가 좁은–내적으로 변한다.

정답 37 : ①, 38 : ④, 39 : ②, 40 : ③

■ 주의집중 향상기법
· 주의산만 요인에 노출
· 주의초점 전환 연습
· 현재 수행하고 있는 일에 전념
· 적정 각성 수준 찾기
· 주의 재집중 훈련
· 조절할 수 있는 것에 집중
· 수행 전 루틴 개발

필수문제

41 주의집중을 향상시키는 방법으로 적절하지 않은 것은?

① 적정 각성 수준 찾기
② 수행 전 루틴 개발하기
③ 실패 결과를 미리 예측하기
④ 조절할 수 있는 것에 집중하기

심화문제

42 경기 중 흔히 사용하는 주의집중 향상기법이 아닌 것은?

■ 감각회상 훈련은 주의집중 향상기법이 아니다.

① 심상 훈련
② 참선 훈련
③ 격자판 훈련
④ 감각회상 훈련

43 선수가 주의를 집중할 수 있도록 지도하는 방법으로 옳은 것은?

① 지금 여기에 집중하라.
② 미래를 예측하고 그 결과에 대비해라.
③ 신체의 움직임에만 집중하라.
④ 이전의 실수를 다시 하지 않기 위해서 노력해라.

■ **루틴** : 선수들이 주의분산과 같은 부정적 상황에 노출되어 경기력 저하를 막기 위해 자신의 독특한 동작이나 절차를 습관적으로 행하는 것. 시합 당일에 루틴을 변경해서는 안 된다.

필수문제

44 스포츠 상황에서 루틴(routine)에 대한 설명으로 적절하지 않은 것은?

① 시합 당일에 수정한다.
② 불안을 감소시키고 집중력을 증대시킨다.
③ 심상과 혼잣말이 포함될 수 있다.
④ 상황이 달라져도 편안함을 유지 시킨다.

심화문제

45 보기가 설명하고 있는 것은?

> 보기
> 메시(Messi)는 페널티킥을 할 때 항상 같은 동작으로 준비를 한다. 우선 공을 양손으로 들고, 페널티마크에 공을 위치시키면서, 자기가 찰 곳을 보고, 골키퍼 위치를 보고, 다시 공을 본 후에, 뒤로 네 걸음 걷고 나서, 심호흡을 한다.

■ 똑같은 동작을 반복하는 것이 루틴이다.

① 심상(imagery)
② 루틴(routine)
③ 이완(relaxation)
④ 주의(attention)

정답 41 : ③, 42 : ④, 43 : ①, 44 : ①, 45 : ②

46 보기는 무엇을 설명하는 내용인가?

> 보기
> » 부정적인 불안을 긍정적인 생각으로 대처한다.
> » 자기가 걱정하고 있는 것이 조절 가능한 것인지 아닌지를 먼저 파악한다.
> » 자신이 통제할 수 있는 것에만 신경을 쓴다.

① 성격 ② 자동수행
③ 최상수행 ④ 루틴

필수문제

47 루틴의 효과와 거리가 먼 것은?

① 상황변화에 긍정적으로 대처하게 한다.
② 경기 중에 부딪치는 역경에 적절하게 대처할 수 있게 한다.
③ 자신이 조절할 수 없는 요인에 주의를 기울이게 한다.
④ 모든 측면에서 충분히 준비를 할 수 있게 한다.

■ **루틴의 효과**
· 상황변화에 긍정적으로 대처하게 한다.
· 경기 중에 예상치 못한 경기상황 변화에 적절히 대처할 수 있게 한다.
· 자신이 조절할 수 있는 요인에 주의를 기울이게 한다.
· 외적요인의 악화에 적절하게 대처할 수 있게 한다.

심화문제

48 루틴(routine)에 대한 설명으로 옳지 않은 것은?

① 경기력 향상에 도움을 준다.
② 경기력의 일관성을 위해 개발된 습관화된 동작이다.
③ 자신이 조절할 수 없는 요인에 주의를 기울이게 한다.
④ 최상수행을 위한 선수들 자신만의 고유한 동작이나 절차이다.

■ 루틴은 자신이 조절할 수 있는 요인에 주의를 기울이게 하는 것이다.

필수문제

49 보기는 어떤 루틴의 개발 과정인가?

> 보기
> 목록작성→순서결정→수행장소 고려→소요시간 결정→시범경기에서 시도

① 수행 간 루틴 ② 경기 후 루틴
③ 경기 전 루틴 ④ 미니 루틴

■ **경기 전 루틴** :경기 전에 하는 루틴
■ **수행 간 루틴** : 경기 중에 하는 루틴
■ **경기 후 루틴** : 경기 후에 하는 루틴
■ **미니 루틴**(수행루틴, 인지전략) : 특정한 동작을 하기 직전에 하는 루틴

정답 46 : ④, 47 : ③, 48 : ③, 49 : ③

07 Chapter 스포츠수행의 사회·심리적 요인

집단응집력

1 집단응집력의 개념

☞ 집단의 구성원들이 집단에 남아 있도록 하는 힘과 집단을 떠나지 못하도록 하는 힘을 합한 것이다.

☞ 집단응집력은 과제응집력과 사회적 응집력으로 나눌 수 있다.

☞ 과제응집력은 공통의 과제를 달성하기 위해서 서로 협력하는 힘이고, 사회적 응집력은 집단의 구성원들끼리 인간적으로 서로 좋아해서 생기는 힘이다

☞ 집단응집력의 크기를 결정하는 요인에는 개인적 요인, 리더십 요인, 팀 요인, 환경적 요인이 있다.

2 사회적 태만

☞ 혼자일 때보다 집단에 속해 있을 때 더 게을러지는 현상을 사회적 태만이라고 한다. 링글만 효과(Ringelmann effect)라고도 한다.

☞ 집단의 실제 생산성 = 집단의 잠재적 생산성 − 과정손실

☞ 구성원들의 동기가 분산되어서 각자의 동기가 감소되기 때문에 사회적 태만이 생긴다.

☞ 구성원 각자가 노력한 정도를 확인할 수 있게 만들면 집단의 생산성은 더 증가한다.

3 Steiner의 집단 생산성 이론

☞ 집단의 잠재적 생산성은 집단의 구성원 각자가 최선의 노력을 다 했을 때의 각자의 생산성을 모두 합한 것이다.

☞ 집단의 실제 생산성은 집단의 구성원들이 모두 모여서 공동으로 과제를 수행했을 때의 생산성이다.

☞ 여러 사람이 모이면 사회적 태만 때문에 과정손실이 생긴다. 결과적으로 집단의 실제 생산성이 잠재적 생산성보다 적어진다.

☞ 과정손실은 구성원끼리 손발이 잘 안 맞아서 생기는 조정손실과 구성원들의 동기가 약화되어서 생기는 동기손실로 나눌 수 있다.

4 사회적 태만의 통합 모형

☞ 개인이 집단에서 일을 하면 사회적 영향력을 덜 받게 된다.

☞ 개인이 집단에서 일을 하면 각성수준이 낮아진다.

☞ 개인이 집단에서 일을 하면 집단의 성과를 높이기 위해서 자신의 노력이 꼭 필요한 것은 아니라고 생각하게 된다. 결과적으로 개인의 노력이 줄어든다.

☞ 집단에 속한 개인의 노력을 평가할 수 있게 되면 사회적 태만을 예방할 수 있다.

5 Carron의 스포츠 팀의 응집력 모형

스포츠 팀의 응집력은 아래의 4가지 요인에 의해서 결정된다.

환경 요인	계약상의 의무, 규범적 압력, 조직의 지향성, 지리적 요인, 팀의 크기 등
개인적 요인	개인적 특성이 비슷한 사람끼리 모이면 팀의 응집력이 커진다.
리더십 요인	지도자의 행동, 선수와의 소통, 리더십 스타일 등
팀 요인	팀의 생산성, 팀의 안정성, 팀의 구조, 의사소통 등

6 팀의 응집력과 팀의 성적 사이의 관계

- ☞ 팀의 응집력이 좋고 나쁨과 팀의 성적 사이에는 뚜렷한 관계가 나타나지 않지만, 팀이 승리하면 팀의 응집력은 더 좋아진다.
- ☞ 팀 구성원들 각자의 운동수행과 팀의 성적이 상호의존적인 스포츠에서는 팀의 응집력이 좋으면 팀의 성적도 좋다.
- ☞ 팀 구성원들 각자의 운동수행과 팀의 성적이 독립적인 스포츠에서는 팀의 응집력과 팀의 성적 사이에는 아무런 관계도 없다.
- ☞ 경기종목과 팀의 상황에 따라서 팀의 응집력과 팀의 성적이 정적 관계를 나타낼 수도 있고, 부적관계를 나타낼 수도 있다.

7 팀구축의 개념

팀에 긍정적인 영향을 미침으로써 팀의 응집력을 향상시키고, 결과적으로 팀의 경기력을 향상시킬 목적으로 팀에 개입하는 것.

8 팀구축의 이론적 모형

- ☞ 팀이 다른 팀과 구별이 되게 만들고, 구성원들이 가깝게 지낼 수 있는 기회를 증가시키면 응집력이 향상된다.
- ☞ 팀의 구성원들이 각자의 역할을 명확하게 이해하고 그것을 수용하면 응집력이 향상된다.
- ☞ 목표설정 또는 의사결정에 구성원들을 참여시키면 응집력이 향상된다.
- ☞ 팀 구성원들의 상호작용이 증가하면 응집력이 향상된다.
- ☞ 팀의 규범에 순응하면 응집력이 향상된다.

팀 구축 모형

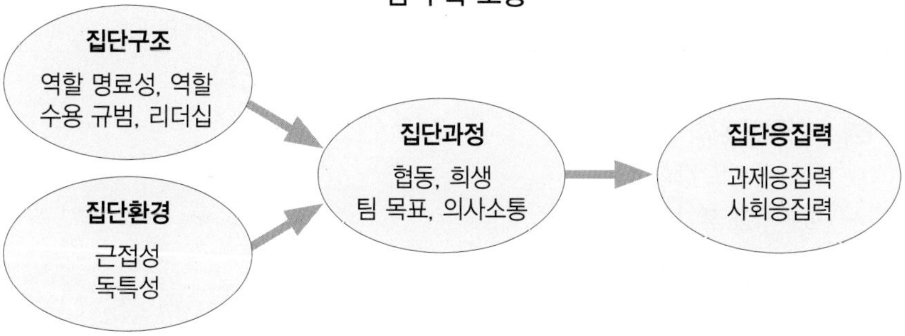

출처 : 팀 구축 프로그램 적용을 위한 개념 모형(Prapavessis, Carron, Spink : 1997)

리더십

1 리더십의 개념

집단의 지도자 또는 개인이 구성원들의 행동을 '집단의 공통목표를 효과적으로 달성할 수 있는 방향으로' 유도하는 것을 '리더십'이라고 한다.

2 리더십에 관한 이론

특성적 접근 (개인특성 이론)	지도자에게 필요한 인성이나 특성은 타고나는 것이라고 본다.
행동적 접근 (행동특성 이론)	집단을 효율적으로 이끌기 위해서 필요한 보편적인 행동특성이 있고, 그 행동특성은 학습에 의해서 성취되는 것이라고 본다.
상황적 접근 (상황부합 이론)	지도자의 특성과 행동보다는 추종자의 능력과 태도, 리더십이 발휘되는 조직 내의 상황 등이 리더십을 결정짓는 것에 더 큰 영향을 미친다고 본다.
스포츠리더십의 다차원 이론 (첼라드라이)	스포츠 상황에서 지도자의 효율성은 특정 상황에서 지도자가 하는 규정된 행동, 지도자의 특성에 의해서 취하는 실제행동, 구성원들이 지도자가 취해주기를 바라는 선호행동이 얼마나 일치하느냐에 따라서 결정된다.

3 강화의 개념

강화	원하는 행동이 나타난 다음에 자극을 줌으로써 미래에 그러한 반응이 나타날 가능성을 증가시키는 것.
행동조형	강화물들을 사용하여 선수들의 행동을 점차적으로 가꾸고 다듬어 나가는 것.

4 강화의 종류

정적강화 ↔ 부적강화	어떤 반응의 빈도를 높이기 위한 것이 정적강화이고, 불쾌하거나 고통스러운 자극을 제거함으로써 바람직한 반응의 확률을 높이는 것이 부적강화이다.
1차적 강화 ↔ 2차적 강화	물질이나 물건으로 강화하는 것이 1차적 강화이고, 칭찬, 미소, 안아주기 등과 같이 코치와 선수의 사회적인 관계를 이용해서 강화하는 것이 2차적 강화이다. 초기에는 1차적 강화가 효과적이지만 후기에는 2차적 강화가 더 효과적이다.
연속강화 ↔ 간헐강화	바람직한 행동이 있을 때마다 강화하는 것이 연속강화이고, 바람직한 행동이 있더라도 강화를 하는 때도 있고 강화를 하지 않는 때도 있는 것이 간헐강화이다. 연속강화는 처음에는 효과가 좋지만 강화가 없어지면 행동이 급격하게 소거된다. 간헐강화는 지속성이 좋으므로 바람직한 행동이 형성된 뒤에 사용하는 것이 좋다.

5 효과적인 강화의 지침

☞ 즉각적으로 강화하라.
☞ 일관성을 유지하라.
☞ 성취 결과뿐만이 아니고 노력과 행동에도 반응하라.
☞ 배우는 것이 모두 축적되는 것이 아니다.
☞ 바람직한 행동을 지속하기 위한 강화를 반드시 하라.

6 효과적인 처벌의 지침

- ☞ 처벌의 효과보다 처벌의 부정적인 영향이 더 클 수도 있으므로 주의하라.
- ☞ 동일한 규칙 위반에 대해서는 누구나 똑같이 처벌하라.
- ☞ 사람이 아니라 행동을 처벌하라.
- ☞ 규칙 위반에 관한 규정은 지도자와 구성원이 협동해서 작성하라.
- ☞ 신체활동을 처벌 방법으로 이용하지 말라.

사회적 촉진

1 사회적 촉진의 개념

- ☞ 타인의 존재가 운동수행에 영향을 미치는 것을 사회적 촉진이라고 한다. 타인의 존재가 수행을 향상시키면 우세반응, 수행을 손상시키면 열세반응이라고 한다.
- ☞ 사회적 촉진에는 관중효과와 공행효과가 모두 포함된다. (공행은 운동을 같이 하되 상호작용이 전혀 없는 것이고, 관중은 수행하는 선수와 아무런 상호작용이 없어야 하지만 스포츠 관중은 상호작용이 전혀 없다고 보기 어렵기 때문에 관중효과와 공행효과가 거론된다.)
- ☞ 타인의 존재가 수행을 향상시킬 때도 있고 방해할 수도 있다.
- ☞ 단순한 과제 또는 숙련자는 우세반응, 복잡한 과제 또는 초보자는 열세반응을 일으킨다.

2 사회적 촉진에 관한 이론

단순존재 가설	타인의 존재는 욕구 또는 각성수준을 을 증가시키고, 각성이 증가하면 우세반응이나 열세반응을 일으킨다.
평가우려 가설	지켜보고 있는 타인이 전문성이 높은 사람이라고 수행자가 인식하면 타인이 자신을 부정적으로 평가할 것을 우려해서 욕구가 상승하므로 단순한 과제는 수행이 향상되고, 복잡한 과제는 수행이 손상된다.
자아이론	인간은 타인으로부터 좋은 평가를 받고 싶어 하는 자의식의 욕구가 있다. 타인이 존재하면 자의식의 욕구가 커져서 동기를 촉진한다.
주의분산 이론 (갈등이론)	타인의 존재는 주의를 분산시키는 효과도 있고, 각성수준을 높여주는 효과도 있다. 주의를 분산시키는 효과가 각성수준을 높여주는 효과보다 크면 수행이 손상된다.

3 협동적 노력의 장점

- ☞ 경쟁적 노력이나 단독적 노력보다 성취 수준과 생산성이 더 높다.
- ☞ 경쟁적 노력이나 단독적 노력보다 사회적 지지를 더 많이 받는다.
- ☞ 경쟁적 노력이나 단독적 노력보다 자기존중감을 더 높인다.

▶ 모델링의 개념……어떤 개인(관찰자)이 다른 사람(모델)의 행동, 사고, 태도 등을 모방하거나 순응하는 것.

4 모델링의 기능

행동반응의 촉진	모델과 같은 반응을 보이려고 한다.
행동의 억제와 탈억제	잘못해서 벌을 받는 것을 관찰하면 행동이 억제되고, 약탈행동을 해도 벌을 받지 않는 것을 관찰하면 자신도 약탈행동에 가담하는 탈억제 현상이 발생한다.
관찰학습 유발	모델이나 코치의 기술 수행 장면을 보고 학습한다. 관찰학습은 관찰→주의집중→파지→동작재생(산출)→동기→운동수행의 6단계를 거쳐서 일어난다.

사회성의 발달

1 공격성의 개념

☞ 공격성은 태도나 정서가 아니라 행동이다.

☞ 언어적인 것과 비언어적인 행동 모두 공격성이 될 수 있다.

☞ 우연히 남에게 피해를 주는 것은 공격성이 아니다.

☞ 상대에게 부상을 입히려고 했지만 상대가 잘 피해서 부상을 입지 않았더라도 공격성이다.

☞ 생물을 위해하는 것은 공격성이지만 무생물을 위해하는 것은 공격성이 아니다.

☞ 자기 자신을 학대하거나 자살하는 것도 공격성이다.

2 공격행위의 종류

적대적 공격행위	상대에게 피해를 입히려는 목적으로 한 공격행위를 적대적 공격행위라고 한다. 적대적 공격행위는 대부분 충동적으로 한다.
수단적 공격행위	승리를 할 목적으로 한 공격 행위를 수단적 공격행위라고 한다. 수단적 공격행위는 대부분 미리 계획을 짜서 실행하게 된다.

3 공격성에 관한 이론

본능 이론	사람에게는 본능적으로 공격성이 있고, 거기에서 분출되는 에너지가 공격행동을 일으킨다.
좌절-공격 가설	공격행위는 언제나 좌절의 결과로 일어나고, 좌절은 언제나 공격행위를 초래한다.
사회학습 이론	다른 사람의 공격행위를 관찰하면 그것을 모방하려는 경향이 있고, 공격행위가 벌을 받지 않으면 강화된다.
청정 가설	공격행위를 하면 공격에너지가 소모되기 때문에 "내적인 긴장이 감소된다."는 것이 프로이드의 청정가설이고, 청정가설을 스포츠에 적용한 것이 "스포츠가 생물적인 공격 본능을 배출시킬 수 있는 밸브의 역할을 한다."는 주장이다. 밸브의 역할을 한다는 것을 스포츠가 갖는 사회정화를 위한 순기능이라고도 한다.

필수 및 심화 문제

필수문제

01 집단응집력과 운동수행 사이의 관계를 설명하는 내용이다. 틀린 것은?

① 팀의 집단응집력이 좋고 나쁨과 팀의 성적 사이에는 뚜렷한 관계가 나타나지 않지만, 반대로 팀이 승리하면 그 팀의 응집력은 더 좋아진다.
② 팀 구성원들 각자의 운동수행과 팀의 성적이 상호의존적인 스포츠에서는 팀의 응집력이 좋으면 팀의 성적도 좋다.
③ 팀 구성원들 각자의 운동수행과 팀의 성적이 독립적인 스포츠에서는 팀의 응집력과 팀의 성적 사이에는 아무런 관계도 없다.
④ 팀의 응집력과 팀의 성적 사이의 관계는 경기종목이나 팀의 상황과는 아무런 관련이 없다.

■ 경기종목과 팀의 상황에 따라서 팀의 응집력과 팀의 성적이 정적 관계를 나타낼 수도 있고, 부정적 관계를 나타낼 수도 있다.

필수문제

02 보기의 괄호 안에 들어갈 용어는?

보기
링겔만(M. Ringelmann)의 줄다리기 실험에 의하면, 줄을 당기는 힘은 혼자일 때 가장 크고, 줄을 당기는 인원이 증가할수록 개인이 쓰는 힘의 양은 줄어드는 것으로 나타났다. 이와 같이 집단 속에서 개인의 노력이 줄어드는 현상을 (　　)(이)라고 한다.

① 사회적 태만　② 정적 강화
③ 사회적 지지　④ 부적 강화

■ **사회적 태만(링겔만의 효과)** : 혼자일 때보다 집단에 속해 있을 때 더 게을러지는 현상

심화문제

03 사회적 태만(social loafing) 현상을 극복하기 위한 지도전략으로 옳지 않은 것은?

① 사회적 태만 허용상황을 미리 설정하지 않게 한다.
② 대집단보다는 소집단(포지션별)을 구성하여 훈련한다.
③ 지도자는 선수 개개인의 노력을 확인하고 이를 인정한다.
④ 선수들이 자신의 포지션뿐만 아니라 다른 역할도 경험하게 한다.

■ 구성원 각자의 노력 정도를 확인할 수 있도록 사회적 태만의 허용상황을 미리 설정하여야 한다.

정답 01 : ④, 02 : ①, 03 : ①

04 집단의 과제 수행에서 발생하는 개인의 동기적 손실 원인이 아닌 것은?

■ 최대화전략은 동기적 손실이 아니다.
■ **최대화전략** : 얻을 수 있는 이익 중에서 최대의 이득을 택하는 전략

① 할당전략
② 무임승차전략
③ 반무임승차전략
④ 최대화전략

필수문제

05 보기에 있는 사회적 태만 현상은 어떤 전략인가?

■ **할당전략** : 혼자일 때 최대의 노력을 발휘하기 위해 단체로 할 때는 에너지를 절약한다.
■ **무임승차전략** : 집단상황일 때 개인의 책임은 줄어들기 때문에 태만해지기 쉽다.
■ **반무임승차전략** : 열심히 노력하지 않는 사람의 무임승차를 원하지 않기 때문에 자신도 노력하지 않는다.

보기
» 운동회에는 여러 종목의 경기가 있었다.
» 경오는 이미 100m 달리기 결승전에 올라온 상태에서 축구경기를 했기 때문에 축구경기에서 열심히 뛰지 않고 슬슬 경기를 했다.
» 줄다리기 경기를 할 때 정원이는 열심히 줄을 당기는 척만 했지 실제로는 힘을 별로 쓰지 않았다.
» 영준이는 정원이의 행동을 보고 화가 나서 자기도 하는 척만 했다.

	경오	정원	영준
①	할당전략	무임승차전략	반무임승차전략
②	최소화전략	할당전략	반무임승차전략
③	최소화전략	반무임승차전략	할당전략
④	할당전략	반무임승차전략	무임승차전략

심화문제

06 개인이 팀에 소속되어 있을 때 자신의 능력을 100% 발휘하지 않는 것과 거리가 먼 것은?

■ 집단이기주의와 자신의 능력발휘는 거리가 있다.
■ **과정손실**
· 조정손실 : 구성원들끼리 손발이 잘 안 맞아서 생기는 손실
· 동기손실 : 구성원들의 동기가 약화되어 생기는 손실

① 조정손실
② 동기손실
③ 사회적 태만
④ 집단이기주의

07 사회적 태만이 발생하는 원인이 아닌 것은?

■ 사회적 태만이 발생하는 원인은 최대화 전략이 아니라, 자신은 최소의 노력을 하고도 팀에서 베푸는 혜택은 똑같이 누리려고 하는 최소화 전략이다.

① 할당 전략
② 반무임승차 전략
③ 최대화 전략
④ 무임승차 전략

정답 04 : ④, 05 : ①, 06 : ④, 07 : ③

필수문제

08 보기의 ㉠, ㉡에 해당하는 것은?

> 보기
> 줄다리기에서 집단이 내는 힘의 총합이 개인의 힘을 모두 합친 것보다 적게 나타나는 현상은 (㉠)이며, 집단의 인원수가 증가할 때 발생하는 개인의 수행 감소는 (㉡) 때문이다.

	㉠	㉡
①	링겔만 효과(Ringelmann effect)	유능감 손실
②	링겔만 효과(Ringelmann effect)	동기 손실
③	관중 효과(audience effect)	유능감 손실
④	관중 효과(audience effect)	동기 손실

■ **링겔만 효과** : 혼자일 때보다 집단으로 할 때 게을러지는 현상으로, 사회적 태만이라고도 한다. 집단의 힘의 총합이 개인의 힘을 모두 합친 것보다 적게 나타난다.
■ **동기손실** : 구성원들의 동기가 약화되어서 생기는 손실로, 집단의 인원수가 증가할 때 생기는 개인의 수행 감소이다.

심화문제

09 집단의 크기가 커질수록 개인 수행의 평균이 감소하는 현상을 설명하는 것은?

① 링글만 효과
② 사회적 일탈
③ 팀구축
④ 리더십 모형

필수문제

10 보기에서 설명하는 사회적 태만 현상의 동기(motivation)손실 원인은?

> 보기
> 영운이는 친구들과 줄다리기를 할 때, 자신의 힘은 전혀 쓰지도 않고 친구들의 노력에 편승해서 경기에 이기려는 모습을 보이고 있다.

① 할당 전략(allocation strategy)
② 무임승차 전략(free ride strategy)
③ 최소화 전략(minimizing strategy)
④ 반무임승차 전략(sucker strategy)

■ 다른 사람의 노력에 편승해서 자기는 노력하지 않고 혜택을 받으려는 의도를 무임승차 전략이라고 한다.
■ 5번 문제 참조.

정답 08 : ②, 09 : ①, 10 : ②

필수문제

11 Steiner의 집단생산성 이론에 대한 설명이다. 틀린 것은?

① 집단의 실제 생산성은 집단의 구성원들이 모두 모여서 공동으로 과제를 수행했을 때의 생산성이다.

② 집단의 잠재적 생산성은 구성원 각자가 최선의 노력을 다 했을 때의 각자의 생산성을 모두 합한 것이다.

③ 여러 사람이 모이면 시너지효과가 생기기 때문에 일반적으로 집단의 실제 생산성이 집단의 잠재적 생산성보다 더 크다.

④ 과정손실은 구성원끼리 손발이 잘 안 맞아서 생기는 조정손실과 구성원들의 동기가 약화되어서 생기는 동기손실로 나눌 수 있다.

■ 사회적 태만 때문에 실제 생산성보다 잠재적 생산성이 더 크다 (p. 98) 참조.

심화문제

12 다음 중 집단에서 응집력을 강화하기 위한 사회적 태만의 방지 전략으로 적절하지 않은 것은?

① 적절한 목표 설정하기　② 선수의 노력을 확인하고 칭찬하기

③ 선수와 대화하기　④ 개인의 공헌 강조하기

■ 적절한 목표 설정은 사회적 태만 방지 전략이 될 수 없다.

필수문제

13 캐런(A.V. Carron)의 팀 응집력 모형에서 응집력의 결정요인으로만 묶인 것은?

① 리더십 요인(leadership factor), 발달 요인(development factor), 환경 요인(environment factor), 팀 요인(team factor)

② 리더십 요인(leadership factor), 팀 요인(team factor), 개인 요인(personal factor), 발달 요인(development factor)

③ 팀 요인(team factor), 리더십 요인(leadership factor), 환경 요인(environment factor), 개인 요인(personal factor)

④ 팀 요인(team factor), 발달 요인(development factor), 환경 요인(environment factor), 개인 요인(personal factor)

■ **캐론의 스포츠팀 응집력 모형** : 환경 요인, 개인 요인, 리더십 요인, 팀 요인

심화문제

14 스포츠 상황에서 집단 응집력 모형(Gill)의 4가지 요소에 해당하지 않는 것은?

① 환경적 요인　② 개인적 요인

③ 심리사회적 요인　④ 리더십 요인

■ 집단응집력 모형
-환경적 요인
-개인적 요인
-리더십 요인
-팀 요인

정답　11 : ③, 12 : ①, 13 : ③, 14 : ③

15 캐론(A. V. Carron)의 응집력 모형에서 응집력과 관련이 있는 팀 요소가 아닌 것은?

① 팀의 능력　　② 팀의 규모
③ 팀의 목표　　④ 팀의 승부욕

■ 팀의 규모가 중간일 때 팀의 응집력이 가장 크다는 연구결과도 있다. 물론 캐론의 모형에는 없다.

16 응집력의 결정요인이 아닌 것은?

① 팀 요인　　② 상황 요인
③ 리더십 요인　　④ 결과 요인

17 집단응집력과 Carron의 스포츠팀응집력에 대한 설명이다. 틀린 것은?

① 집단응집력은 집단의 구성원들이 집단에 남아 있도록 하는 힘과 집단을 떠나지 못하도록 하는 힘을 합한 것이다.
② 집단응집력의 크기를 결정하는 요인에는 개인적 요인, 리더십 요인, 팀 요인, 환경적 요인이 있다.
③ 집단응집력은 과제응집력과 사회적 응집력으로 나눌 수 있다.
④ 과제응집력은 공통의 과제를 달성하기 위해서 서로 협력하는 힘이고, 사회적 응집력은 국가나 사회에서 기대하는 것을 만족시키기 위해서 서로 협력하는 힘이다.

■ 사회적 응집력은 집단의 구성원들끼리 인간적으로 서로 좋아해서 생기는 힘이다.

필수문제

18 팀의 응집력을 향상시키기 위해서 지도자가 취해야 할 방법으로 적당하지 못한 것은?

① 팀 성공을 위한 개인의 역할을 명확하게 한다.
② 선수와 지도자의 개인적인 유대관계를 회피한다.
③ 주기적으로 팀 미팅을 해서 선수들의 의견을 청취한다.
④ 팀의 목표를 팀원들과 의논해서 설정한다.

■ 선수와 지도자의 개인적 유대관계가 강화되어야 팀응집력이 향상된다.

심화문제

19 팀 응집력 요구수준이 가장 높은 스포츠 종목은?

① 축구　　② 양궁
③ 스키　　④ 사격

정답　15 : ②, 16 : ④, 17 : ④, 18 : ②, 19 : ①

필수문제

20 보기의 팀구축(team building) 중재 전략과 요인을 바르게 연결한 것은?

보기
㉠ 팀 구성원이 동일한 유니폼을 입는다.
㉡ 매주 한 번씩 팀 미팅을 열어 각자의 역할과 책임에 대해 논의한다.
㉢ 팀 구성원 간 상호작용과 의사소통의 기회를 충분히 갖는다.

① ㉠ 환경요인, ㉡ 구조요인, ㉢ 과정요인
② ㉠ 환경요인, ㉡ 과정요인, ㉢ 구조요인
③ ㉠ 과정요인, ㉡ 환경요인, ㉢ 구조요인
④ ㉠ 과정요인, ㉡ 구조요인, ㉢ 환경요인

■ **팀구축 중재전략**
· **환경요인** : 팀의 환경을 통일하는 것
· **구조요인** : 팀이 지킬 규범을 정하여 각자의 역할과 책임을 정하는 것
· **과정요인** : 팀구성원 간의 상호작용과 충분한 의사소통

필수문제

21 보기의 팀 구축 프로그램을 위한 개념 모형에서 괄호 안에 적절한 변인은?

보기

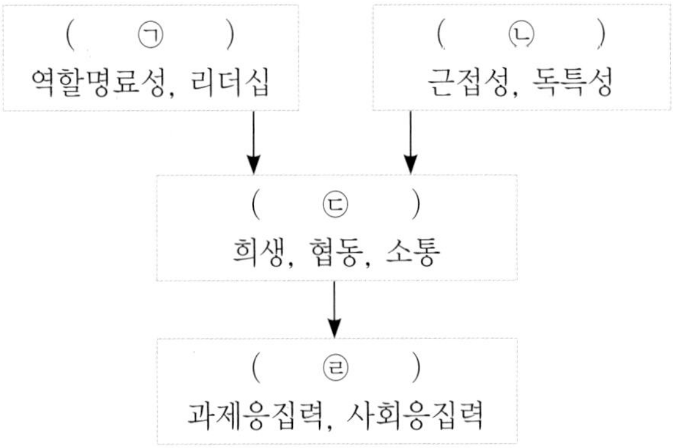

	㉠	㉡	㉢	㉣
①	집단구조	집단환경	집단응집력	집단과정
②	집단구조	집단환경	집단과정	집단응집력
③	집단환경	집단구조	집단응집력	집단과정
④	집단환경	집단구조	집단과정	집단응집력

■ 팀구축 프로그램 적용을 위한 개념 모형 (팀구축 모형, p. 99) 참조

정답 20 : ①, 21 : ②

심화문제

22 보기는 무엇을 설명한 것인가?

> 보기
> 팀에 긍정적인 영향을 미침으로써 팀의 응집력을 향상시키고, 결과적으로 팀의 경기력을 향상시킬 목적으로 팀에 개입하는 것.

① 팀구축 또는 팀빌딩　　② 팀의 과정
③ 팀의 구조와 환경　　④ 팀의 응집력

23 팀구축의 이론적 모형에 대한 설명이다. 틀린 것은?

① 팀이 다른 팀과 구별이 되게 만들고, 구성원들이 가깝게 지낼 수 있는 기회를 증가시키면 팀의 응집력 향상에 도움이 된다.
② 팀의 구성원들이 각자의 역할을 명확하게 이해하고 그것을 수용하면 응집력이 향상된다.
③ 목표설정 또는 의사결정에 구성원들을 참여시키면 응집력 향상에 도움이 된다.
④ 팀 구성원들의 상호작용이나 의사소통은 응집력 향상에 도움이 되지 못한다.

■ 팀 구성원들의 상호작용이나 원활한 의사소통은 응집력 향상에 도움이 된다.

필수문제

24 리더십에 대한 설명이다. 옳은 것을 모두 고르시오.

① 집단의 지도자 또는 개인이 구성원들의 행동을 '집단의 공통목표를 효과적으로 달성할 수 있는 방향으로' 유도하는 것을 '리더십'이라고 한다.
② 리더에게 필요한 인성이나 특성은 타고나는 것이라고 보는 것이 특성적 접근 또는 개인특성 이론이다.
③ 집단을 효율적으로 이끌기 위해서 필요한 보편적인 행동특성이 있고, 그 행동특성은 학습에 의해서 성취하는 것이라고 보는 것이 행동적 접근 또는 행동특성 이론이다.
④ 리더십을 결정짓는 요인에는 리더의 특성과 행동만 있는 것이 아니라 조직 내의 상황이 더 큰 영향을 미친다고 보는 것이 상황적 접근 또는 상황부합 이론이다.

■ 모두 옳다.

정답 22 : ①, 23 : ④, 24 : ①, ②, ③, ④

심화문제

25 스포츠 지도자의 리더십 행동으로 적절하지 않은 것은?

① 선수에게 과도한 자신감을 부여하는 행동
② 선수가 목표를 수립하도록 도와주는 행동
③ 선수에게 개별 시간을 할애하는 행동
④ 선수의 주의산만 요인을 파악하고 지도하는 행동

■ 선수에게 과도한 자신감을 부여하는 것은 올바른 리더십 행동이 아니다.

26 리더십에 대한 설명 중 틀린 것은?

① 권위적 스타일은 승리에 관심을 두고 명령을 내리는 스타일이다.
② 시합 상황에서 즉각적인 판단을 내려야 할 때에는 권위적 리더십보다 민주적 리더십이 더 효과적이다.
③ 팀 스포츠는 개인 스포츠보다 지시적 행동이 더 많이 필요하다.
④ 팀 구성원의 수가 많으면 민주적 리더십을 적용하기 어렵다.

■ 시합 시 즉각적인 판단이 필요할 때는 권위적 리더십이 효과적이다.

필수문제

27 보기의 첼라드라이(P. Chelladurai)의 다차원 리더십 모형에서 제시하는 리더행동이 바르게 나열된 것은?

보기

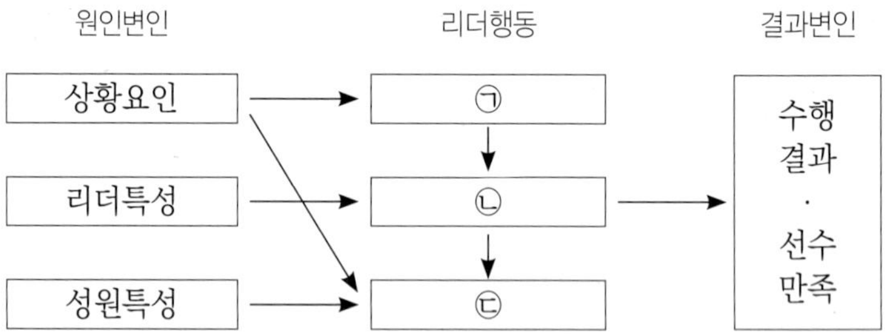

	㉠	㉡	㉢
①	규정행동	선호행동	실제행동
②	규정행동	실제행동	선호행동
③	선호행동	실제행동	규정행동
④	선호행동	규정행동	실제행동

■ **첼라드라이의 다차원 리더십 모형** : 스포츠 리더십의 효과는 상황요인, 리더특성, 성원특성에 의해 결정된다. 이것은 각각 규정행동, 실제행동, 선호행동에 영향을 미친다.
■ **규정행동** : 리더의 직무상 필수적인 행동
■ **실제행동** : 리더가 수행하는 행동
■ **선호행동** : 선수들이 원하는 행동

정답 25 : ①, 26 : ②, 27 : ②

필수문제

28 보기에 제시된 첼라드라이(P. Chelladerai)의 다차원리더십 모델에 관한 설명으로 옳게 묶인 것은?

보기
㉠ 리더의 특성은 리더의 실제 행동에 영향을 준다.
㉡ 규정 행동은 선수에게 규정된 행동을 말한다.
㉢ 선호 행동은 리더가 선호하거나 바라는 선수의 행동을 말한다.
㉣ 리더의 실제 행동과 선수의 선호 행동이 다르면 선수의 만족도가 낮아진다.

① ㉠, ㉡ ② ㉠, ㉣
③ ㉡, ㉢ ④ ㉢, ㉣

■㉠ 리더의 특성이 리더의 실제 행동에 영향을 준다.
■㉣ 리더의 실제 행동과 선호 행동이 다르면 선수의 만족도가 떨어진다. 실제 행동과 선호 행동이 일치할수록 수행이 좋아진다.

심화문제

29 보기는 무엇을 설명하는 것인가?

보기
리더의 효율성은 특정 상황에서 리더가 하는 규정된 행동, 리더의 특성에 의해서 취하는 실제행동, 구성원들이 리더가 취해주기를 바라는 선호행동이 얼마나 일치하느냐에 따라서 결정된다.

① 스포츠리더십의 다차원 이론
② 상황적 리더십 이론
③ 스포츠리더의 행동 유형
④ 리더십의 경로–목표 이론

■스포츠리더십의 다차원 이론(p. 100) 참조

필수문제

30 강화물들을 사용하여 선수들의 행동을 점차적으로 가꾸고 다듬어 나가는 것은?

① 강화의 개념 ② 행동조형
③ 강화의 종류 ④ 정적 강화

■행동조형은 강화물을 사용하여 선수들의 행동을 점차적으로 가꾸고 다듬어 나가는 것

정답 28 : ②, 29 : ①, 30 : ②

필수문제

31 원하는 행동이 나타난 다음에 자극을 줌으로써 미래에 그러한 반응이 나타날 가능성을 증가시키는 것은?

① 처벌 ② 보상
③ 강화 ④ 동기부여

■ **강화**란 원하는 행동이 나타난 다음에 자극을 줌으로써 미래에 그러한 반응이 나타날 가능성을 증가시키는 것

심화문제

32 운동지도에 활용할 수 있는 강화(rein-forcement)전략으로 적절한 것은?

① 운동이 모두 끝나고 정리운동 후에 강화한다.
② 바람직한 행동을 찾아 강화한다.
③ 초보자에게 가끔, 숙련자에게 자주 강화한다.
④ 노력보다는 성취 결과를 중심으로 강화한다.

■ 강화는 ① 가급적 즉시에, ③ 초보자에게는 자주, 숙련자에게는 가끔, ④ 결과보다는 과정에 제공하는 것이 효과적이다.

필수문제

33 다음 중 부적 강화는?

① 사회적인 보상으로 강화
② 불쾌한 자극을 제거시킴으로써 강화
③ 강화를 줄 때도 있고 안 줄 때도 있는 것
④ 가치 있는 물건으로 강화

■ **부적 강화** : 불쾌하거나 고통스러운 자극을 제거함으로써 바람직한 반응의 확률을 높이는 것

심화문제

34 다음 중 선수가 바람직한 행동을 강화할 수 있도록 지도자가 사용하는 부적 강화를 설명하는 상황으로 올바른 것은?

선수가 그날의 훈련목표를 달성할 때마다
① 선수가 원하는 충분한 자유 시간을 준다.
② 선수가 하기 싫어하는 운동 뒷정리를 면제해준다.
③ 선수가 보고 싶어 하는 영화표를 선물로 준다.
④ 선수가 필요로 하는 운동도구를 새로이 구입해준다.

■ ② 이외는 모두 정적 강화이다.

정답 31 : ③, 32 : ②, 33 : ②, 34 : ②

필수문제

35 강화의 방법으로 옳지 못한 것은?

① 효과적인 강화물을 찾는다.
② 초보자에게는 간헐적으로, 숙련자에게는 자주 한다.
③ 바람직한 행동을 찾아서 강화하고, 결과보다는 수행과정에 관심을 둔다.
④ 결과의 지식을 제공한다.

■ 효과적인 강화의 지침
· 즉각적으로 강화하라.
· 일관성을 유지하라.
· 성취 결과뿐만이 아니고 노력과 행동에도 반응하라.
· 배우는 것이 모두 축적되는 것이 아니다.
· 바람직한 행동을 지속하기 위한 강화를 반드시 하라.

필수문제

36 와인버그(R.S. Weinberg)와 굴드(D. Gould)의 바람직한 처벌 행동 지침에 관한 내용으로 옳지 않은 것은?

① 사람이 아니라 행동을 처벌한다.
② 동일한 규칙위반에 대해서는 동일하게 처벌한다.
③ 연습 중에 실수한 것에 대해서는 가볍게 처벌한다.
④ 규칙위반에 관한 처벌규정을 만들 때 선수의 의견을 반영한다.

■ 바람직한 처벌 행동 지침
· 동일한 규칙위반에 대해서는 똑같이 처벌한다.
· 사람이 아니라 행동을 처벌한다.
· 규칙위반에 관한 처벌규정은 지도자와 구성원이 협동해서 정한다.
· 신체활동을 처벌방법으로 이용하지 말라.
· 처벌의 효과보다 처벌의 부정적인 영향이 클 수도 있다.

필수문제

37 보기에서 대한야구협회가 활용한 행동수정 전략은?

보기

– 공고문 –

본 협회는 선수들의 경기장 폭력을 감소시키기 위해 폭력 정도에 따라 출전시간을 제한하는 제도를 시행합니다.

2019. 5. 11.

대한야구협회

① 정적 강화 ② 부적 강화 ③ 정적 처벌 ④ 부적 처벌

■ **부적 처벌(금지형 처벌)** : 어떤 반응이 일어났을 때 자극을 완전히 제거하거나 박탈하여 반응빈도를 낮추는 것
■ **정적 처벌** : 어떤 반응이 나타난 후에 불쾌하거나 고통스러운 자극을 제시하거나 부여함으로써 그 반응의 빈도를 낮추는 것

정답 35 : ②, 36 : ③, 37 : ④

심화문제

38 처벌의 지침 중에서 옳지 못한 것은?

① 동일한 규칙 위반에 대해서는 누구나 똑같이 처벌한다.
② 사람이 아니라 행동을 처벌한다.
③ 규칙 위반에 관한 규정은 지도자가 혼자 작성한다.
④ 신체활동을 처벌 방법으로 이용하지 않는다.

■ 규칙 위반에 관한 규정은 구성원들의 의견을 반영해서 만들어야 한다.

39 강화와 처벌 방법 중에서 옳은 것은?

① 강화는 숙련자에게는 자주, 초보자에게는 어쩌다 한 번씩 하는 것이 좋다.
② 바람직한 행동이 나타나고 얼마쯤 시간이 지난 다음에 강화하는 것이 좋다.
③ 처벌의 효과보다 처벌의 부정적인 영향이 더 클 수도 있다.
④ 처벌 50%, 칭찬 50%의 비율로 실시하는 것이 좋다.

■ 대부분은 칭찬을 하고, 어쩌다 한 번씩 처벌해야 한다.

필수문제

40 전제적인 코칭스타일과 민주적인 코칭스타일의 지도자에 대한 선수들의 선호도를 설명한 것이다. 옳지 않은 것은?

① 선수들의 나이가 많고, 경기 수준이 높을수록 전제적인 코칭스타일을 더 좋아한다.
② 남자가 여자보다 전제적인 코칭스타일을 더 좋아한다.
③ 동양선수들이 서양선수들보다 전제적인 코칭스타일을 더 좋아한다.
④ 독립적인 스포츠 선수들이 상호의존적인 스포츠 선수들보다 전제적인 코칭스타일을 더 좋아한다.

■ 상호의존적인 스포츠 선수들은 전제적인 코칭스타일을 좋아할 수밖에 없다.

심화문제

41 스포츠 상황에서 지도자의 코칭행동에 영향을 미치는 주요 선행요인이 아닌 것은?

① 부모의 강요　　② 리더의 특성
③ 구성원의 특성　　④ 상황요인

정답 38 : ③, 39 : ③, 40 : ④, 41 : ①

42 가장 좋은 지도방법은?

① 끊임없이 경쟁을 유도한다.
② 팀의 성공을 위해서 개인적인 부상이나 희생은 감수하라고 지도한다.
③ 구성원과 팀의 성공을 위해서 경쟁과 협동을 적절히 유도한다.
④ 경쟁에서 이기면 인센티브를 준다.

43 바람직한 코칭행동 지침으로 옳지 않은 것은?

① 인간적으로 팀 구성원을 이해하기 위해 노력한다.
② 자신이 지도하는 종목에 대한 전문지식을 배양한다.
③ 팀 구성원에게 차별이나 편애 없이 공정하게 대한다.
④ 지도자 개인의 필요에 따라 팀 구성원을 이용한다.

필수문제

44 사회적 촉진의 개념을 가장 잘 설명한 것은?

① 관중이나 타인의 존재에 의해서 경기력이 영향을 받을 수 있다.
② 관중효과와 사회적 촉진은 서로 다른 개념이다.
③ 운동선수들은 관중이 있든 없든 비슷한 수행력을 보인다.
④ 사회적 촉진은 대부분 긍정적으로 작용한다.

■ **사회적 촉진** : 타인의 존재가 운동수행에 영향을 미치는 것

심화문제

45 관중효과에 대한 설명이다. 틀린 것은?

① 기술 수준이 높은 선수는 관중효과에 의해서 수행이 향상된다.
② 팀의 규모가 클수록 관중효과의 영향을 많이 받는다.
③ 관중효과가 홈팀에는 동기를 부여하고, 원정팀에게는 수행을 손상시킨다.
④ 자의식이 높은 선수는 관중효과에 의해서 수행이 향상된다.

■ 팀의 규모가 클수록 관중효과의 영향을 적게 받는다.

46 선수의 경기력을 비판하거나 평가할 수 있는 관중이 있을 때 경기력이 가장 많이 손상되는 사람은?

① 기능이 아주 좋은 선수 ② 기능이 중간 정도인 선수
③ 초보자 ④ 우수선수

정답 42 : ③, 43 : ④, 44 : ①, 45 : ②, 46 : ③

필수문제

47 사회적 촉진 현상을 설명하는 이론이다. 틀린 것은?

① 인간은 타인으로부터 좋은 평가를 받고 싶어 하는 자의식의 욕구가 있다.
② 타인이 존재하면 자의식의 욕구가 커져서 동기를 촉진한다.
③ 타인의 존재는 주의를 분산시키는 효과도 있고, 각성수준을 높여주는 효과도 있다.
④ 주의를 분산시키는 효과가 각성수준을 높여주는 효과보다 크면 수행이 향상된다.

■주의를 분산시키는 효과가 각성수준을 높여주는 효과보다 크면 수행이 손상된다.

심화문제

48 사회적 촉진 이론 중에서 단순존재 가설에 대한 설명이다. 옳지 않은 것은?

① 타인의 존재는 각성을 증가시킨다(각성수준이 높아지면 수행에 변화가 생긴다는 추동이론과 동일한 이론이다).
② 각성이 증가하면 우세반응이나 열세반응을 일으킨다.
③ 단순과제는 우세반응을 일으켜서 수행이 향상된다. 반대이면 반대.
④ 초심자의 수행은 향상되고, 숙련자의 수행은 손상된다.

■초심자는 누가 보고 있으면 떨지만, 숙련자는 더 잘 한다.

필수문제

49 모델링(modeling)에 대한 설명이다. 틀린 것은?

① 개인(관찰자)이 다른 개인(모델)의 생각, 태도, 행동 등을 관찰한 다음 그것을 모방하거나 순응하는 것을 '모델링'이라고 한다.
② 관찰학습 또는 모방학습과 유사하지만 좀 더 체계적인 개념이다.
③ 잘못해서 벌을 받는 것을 관찰하면 행동이 억제되고, 약탈행동을 해도 벌을 받지 않는 것을 관찰하면 자신도 약탈행동에 가담하는 탈억제 현상이 발생한다.
④ 모델과 같은 반응을 보이려고 하는 반응촉진은 생기지 않는다.

■모델링에서 가장 쉽게 생기는 것이 반응촉진이다.

심화문제

50 모델링의 과정을 나타낸 것이다. ( ) 속에 들어가야 할 말은?

관찰 → 주의집중 → (㉠) → 동작재생 → (㉡) → 운동수행

① ㉠ 파지, ㉡ 전이
② ㉠ 전이, ㉡ 파지
③ ㉠ 파지, ㉡ 동기
④ ㉠ 동기, ㉡ 파지

■모델링의 6단계 : 관찰→주의집중→파지→동작재생(산출)→동기→운동수행

정답 47 : ④, 48 : ④, 49 : ④, 50 : ③

필수문제

51 보기는 '공격성'의 개념을 설명한 것들이다. 틀린 것만을 모두 고른 것은?

보기
㉠ 공격성은 태도나 정서가 아니라 행동이다.
㉡ 언어적 행동은 공격성이 아니고, 비언어적인 행동은 공격성이다.
㉢ 우연히 남에게 피해를 주는 것도 공격성이다.
㉣ 상대에게 부상을 입히려고 행동하였지만 상대가 잘 피해서 부상을 입지 않았다면 공격성이 아니다.
㉤ 개를 발로 차는 것은 공격성이지만, 나무로 만든 벤치를 발로 차는 것은 공격성이 아니다.
㉥ 자기 자신을 학대하거나 자살하는 것은 공격성이 아니다.

① ㉠, ㉡, ㉢, ㉤, ㉥
② ㉡, ㉢, ㉣, ㉤
③ ㉠, ㉡, ㉢, ㉣
④ ㉡, ㉢, ㉣, ㉥

■㉡ 언어적 행동과 비언어적 행동 모두 공격성이다.
■㉢ 우연히 남에게 피해를 입히는 것은 공격성이 아니다.
■㉣ 실제로 부상을 입혔는지 여부와 관계없이 공격성이다.
■㉤ 무생물에게 하는 것은 공격성이 아니다.
■㉥ 자신을 학대하거나 자살하는 것은 공격성이다.

심화문제

52 다음 설명 중 틀린 것은?

① 타인의 존재가 운동수행에 영향을 미치는 것을 사회적 촉진이라고 한다.
② 사회적 촉진에는 관중효과와 공행효과가 모두 포함된다.
③ 타인이 존재하면 경쟁의 욕구가 발동하여 에너지를 더 내게 한다는 것이 다이나모제니(dynamogeny)이다.
④ 타인의 존재는 항상 수행을 향상시킨다.

■타인의 존재는 수행을 향상시킬 수도 있고, 방해할 수도 있다.

53 공격성의 특징과 거리가 먼 것은?

① 경기 초반에 공격행위가 많이 일어난다.
② 원정경기에서 공격행위가 더 많이 일어난다.
③ 스코어 차이가 많이 났을 때 공격행위가 많이 일어난다.
④ 신체 접촉이 많은 경기에서 공격행위가 많이 일어난다.

■경기 후반에 공격행위가 더 많이 일어난다.

정답 51 : ④, 52 : ④, 53 : ①

54 스포츠가 공격성에 대하여 순기능을 가지고 있다는 것을 가장 잘 설명한 것은?

① 스포츠를 관람하면서 고함을 지르는 등 스트레스를 해소하는 데에 공격성이 도움이 된다.
② 스포츠는 신체활동과 경쟁을 통해서 인간의 공격성을 합법적으로 배출할 수 있는 배출구 역할을 한다.
③ 스포츠를 관람하면서 심판의 부당한 판정이나 상대 선수의 비신사적인 행동에 마음껏 야유를 할 수 있으므로 공격성 해소에 도움이 된다.
④ 스포츠를 통해서 대리만족을 할 수 있으므로 공격성을 줄일 수 있다.

■**적대적 공격행위** : 상대에게 피해를 입히려는 목적으로 하는 공격행위. 적대적 공격행위는 대부분 충동적으로 발생한다.
■**수단적 공격행위** : 승리를 할 목적으로 하는 공격 행위. 수단적 공격행위는 대부분 미리 계획을 짜서 실행하게 된다.

필수문제

55 다음 설명 중 틀린 것은?

① 상대에게 피해를 입히려는 목적으로 한 공격행위를 적대적 공격행위라고 한다.
② 승리를 할 목적으로 한 공격 행위를 수단적 공격행위라고 한다.
③ 수단적 공격행위는 대부분 미리 계획을 짜서 실행하게 된다.
④ 적대적 공격행위도 대부분 미리 계획을 짜서 실행하게 된다.

심화문제

56 운동경기 상황에서 자주 나타나는 적대적 공격과 수단적 공격에 대한 설명이다. 이중 적절하지 않은 것은?

■④는 적대적 공격성에 대한 설명이다.

① 적대적 공격은 대상에게 가해지는 고통, 상처 등이 보상이다.
② 수단적 공격은 승리, 명예, 금전 등이 보상이다.
③ 적대적 공격성에는 야구의 빈볼(bean ball), 축구의 보복 공격이 있다.
④ 수단적 공격성은 상대방의 자극에 대한 반응으로 분노가 수반된다.

57 보기에서 괄호가 설명하는 것은?

보기
(　　　)은 피해나 부상을 피하려고 하는 사람에게 피해나 상해를 입히기 위한 목적으로 가해지는 행동으로, 목표와 분노가 있었는지에 따라 적대적(　　　)과 수단적 (　　　)으로 분류된다.

■공격행위에는 적대적 공격행위와 수단적 공격행위가 있다.

① 호전성　　② 가학성
③ 공격성　　④ 위해성

정답 54 : ②, 55 : ④, 56 : ④, 57 : ③

58 **타인에게 해를 입히는 것이 주목적이 아니라 돈, 승리, 명예 등을 얻기 위해서 하는 공격행위는?**

① 권리적 공격행위
② 적대적 공격행위
③ 수단적 공격행위
④ 명예적 공격행위

필수문제

59 **공격성에 대한 이론과 그 설명이다. 틀린 것은?**

① 본능 이론 : 사람에게는 본능적으로 공격성이 있고, 거기에서 분출되는 에너지가 공격행동을 일으킨다.
② 좌절–공격 가설 : 공격행위는 언제나 좌절의 결과로 일어나고, 좌절은 언제나 공격행위를 초래한다.
③ 사회학습 이론 : 다른 사람의 공격행위를 관찰하면 그것을 모방하려는 경향이 있고, 공격행위가 벌을 받지 않으면 강화된다.
④ 청정 가설 : 정서를 깨끗하게 유지하려는 욕구 때문에 공격성이 생긴다.

■ 공격행위를 하면 공격에너지가 소모되기 때문에 "내적인 긴장이 감소된다."는 것이 프로이드의 **청정가설**이다. 청정가설을 스포츠에 적용한 것이 "스포츠가 생물적인 공격 본능을 배출시킬 수 있는 밸브의 역할을 한다."는 주장이다.

심화문제

60 **인간이 본능적으로 신체적 · 언어적 공격을 한다는 이론은?**

① 본능 이론
② 좌절–공격 이론
③ 사회학습 이론
④ 인지행동 이론

61 **공격성은 배고픔, 목마름, 성적 욕구와 같이 인간이 선천적으로 가지고 있는 본능이라고 주장하는 것은?**

① 사회학습 이론
② 좌절–공격 이론
③ 성악설
④ 본능 이론

정답 58 : ③, 59 : ④, 60 : ①, 61 : ④

08 Chapter 건강 · 운동심리학

성격과 운동실천

☞ 같은 강도의 운동을 하더라도 여성적인 남학생이 남성적인 남학생에 비해서 주관적으로 느끼는 운동강도(RPE)가 더 높았다.
☞ 정서적 불안정성, 외향성, 개방성, 호감성, 성실성을 성격 5요인이라고 한다.
☞ 성격 5요인 중에서 외향성과 성실성이 높은 학생은 운동실천을 열심히 했다.
☞ 성격 5요인 중에서 정서적 불안정성이 높은 학생은 운동실천 수준이 낮았다.

1 오랜 기간 운동실천에 따른 성격의 변화

☞ A형 행동(시간 강박증, 과도한 경쟁심, 적대감 등이 많은 사람이 보이는 행동)의 빈도가 낮아졌다.
☞ 스트레스에 대한 심폐계통의 반응성이 낮아졌다.
☞ 우수선수는 체력과 기술뿐만 아니라 심리적인 측면에서도 이상적인 상태를 갖고 있었다.

2 우수선수들의 인지전략

훈련	시합에 대비해서 구체적인 전략을 미리 연습한다.
루틴	시합 전후에 주의집중을 방해하는 요인을 줄이기 위해서 루틴을 실시한다.
집중	당면한 시합에 고도로 집중한다.
심상	자신에게 도움이 되는 심상을 시합 전에 리허설 한다.
합리성	통제 가능한 요인을 집중적으로 통제하려고 노력한다.
시합전략	시합에 대한 매우 구체적인 계획을 가지고 있다.
각성조절	최적의 수행을 할 수 있도록 각성(불안)수준을 조절한다.

3 운동이 불안에 미치는 영향

☞ 유산소운동은 불안을 감소시킨다.
☞ 고강도의 무산소운동은 불안을 감소시키지 않거나 오히려 더 높인다.
☞ 장기간의 운동실천은 특성불안을 감소시킨다.
☞ 일회성 운동은 상태불안을 감소시킨다.

4 운동이 우울증에 미치는 영향

☞ 유 · 무산소운동 모두 우울증의 개선에 큰 효과가 있다.
☞ 우울증 개선 효과는 9주 이상 운동을 계속해야 많이 생긴다.

5 운동이 기분에 미치는 영향

☞ 러너스하이(runner's high)……힘든 운동을 하는 도중에 행복감, 편안함, 희열감 등을 느낀다.

☞ 우수선수는 일반인에 비하여 활력이 아주 높은 빙산형 기분상태 프로파일을 가지고 있다.

☞ 우수선수는 일반인에 비해 긴장, 우울, 분노, 피로, 혼동 등 부정적인 기분 요인은 아주 낮다.

6 기타 운동의 효과

☞ 운동이 자기개념(자존심)의 향상에도 효과가 있다.

☞ 운동은 인지능력의 향상에 큰 효과가 있다.

☞ 체력이 좋은 학생이 인지능력도 좋다.

7 운동의 부정적인 효과

운동중독	통제할 수 없을 만큼 운동을 과도하게 하며, 운동을 못하면 금단증상이 나타난다.
과훈련	지나치게 훈련을 하면 우울증과 탈진을 유발할 수도 있다.
식이장애	신경성 폭식증 또는 신경성 식욕부진증과 같은 부작용이 생길 수도 있다.
스테로이드 남용	남성호르몬 주사를 맞거나 섭취하는 선수도 있다.

8 운동의 심리적 효과를 설명하는 이론

열발생 가설	운동을 하면 체온이 상승하고, 체온이 상승하면 뇌에서 근육이완 명령을 내리기 때문에 편안해진다.
모노아민 가설	운동을 하면 신경전달물질의 분비가 증가하기 때문에 정서에 변화가 생긴다.
뇌변화 가설	운동을 하면 뇌의 혈관이 많아지기 때문에 인지능력 등이 향상된다.
생리적 강인함 가설	운동을 규칙적으로 하면 스트레스를 규칙적으로 가하는 것이기 때문에 스트레스에 견디는 능력이 향상되고, 그러면 정서적으로 안정된다.
사회심리적 가설	운동을 하면 기분이 좋아질 것이라고 기대하기 때문에 위약효과에 의해서 심리적인 효과가 생긴다.

운동심리 이론

사람들이 운동을 시작하게 되는 과정 또는 원인을 설명하는 이론.

1 합리적 행동 이론-아젠(Ajzen, I.)과 피시바인(Fishbein, M.)

☞ 개인이 운동을 하려는 의도가 있으면 운동을 실천하고, 의도가 없으면 운동을 하지 않는다는 이론이다.

☞ 운동행동에 대하여 그 사람이 가지고 있는 생각(운동행동에 대한 태도), 주요 타자들의 생각(주관적 규범)이 의도에 영향을 미친다.

2 계획적 행동(계획행동) 이론-아젠(Ajzen, I.)

☞ 운동행동을 방해하는 요인을 자신이 통제할 수 있다는 자신감을 '행동통제인식'이라 한다.

☞ 운동행동을 하려는 의도가 있고, 행동통제인식까지 더 있으면 운동을 실천할 가능성이 대단히 높아진다.

3 변화단계 이론

☞ 인간의 행동은 시간을 두고 천천히 단계적으로 변화하기 때문에 운동하려는 의도가 생겼다고 해서 갑자기 운동을 실천하는 것이 아니라는 이론이다.

☞ 운동행동의 변화를 무관심→관심→준비→실천→유지의 5단계로 구분한다.

▶ 프로차스카(Prochaska)의 운동행동 변화 단계

무관심	현재 운동을 하지 않고 있음. 6개월 이내에 운동을 시작할 의도가 없음.
관심	현재 운동을 하지 않고 있음. 6개월 이내에 운동을 시작할 의도가 있음.
준비	현재 운동을 하고 있으나 가이드라인을 못 채우고 있음. 30일 이내에 가이드라인을 채울 수준의 운동을 시작하려 함.
실천	현재 가이드라인을 채울 정도의 운동을 하고 있음. 6개월 미만임.
유지	현재 가이드라인을 채울 정도의 운동을 하고 있음. 6개월 이상 실시하여 안정 상태에 있음.

4 건강신념 모형

☞ 질병이 발생할 가능성이 있다는 인식과, 질병에 걸리면 심각한 문제가 생긴다는 인식이 건강행동의 실천에 영향을 미친다는 이론이다.

☞ 질병예방행동을 했을 때에 생기는 이익과, 질병예방행동을 하기 위해서 투자해야 하는 손실을 비교한 결과에 따라서 운동행동의 실천 여부가 결정된다.

5 자기효능감 이론

☞ 특정상황에서 자기에게 주어진 과제를 성공적으로 수행할 수 있다는 신념을 자기효능감이라고 한다.

☞ 자기효능감이 높을수록 운동행동을 실천에 옮길 가능성이 높다는 이론이다.

6 자결성 이론

☞ 인간의 운동행동에 영향을 미치는 무동기, 외적동기, 내적동기가 일직선상에 있다는 이론이다.

☞ 무동기와 내적동기 사이에 있는 외적 동기를 외적규제, 의무감규제, 확인규제로 나눈다.

무동기 – 무규제 : 스포츠참여에 대해 이해하지 못함.

외적동기
- 외적규제 : 외적인 보상을 받기 위해 운동하는 것
- 의무감규제 : 내면적 보상과 연계하여 운동하는 것
- 확인규제 : 활동목표는 자기가 정했으나, 운동이 즐겁지 않음.

내적동기 – 내적규제 : 스스로 생긴 의무감 때문에 운동하는 것

7 사회생태학 이론

☞ 사람이 운동을 실천하고 안하는 이유를 개인적인 관점에서만 찾지 말고, 사회와 국가는 물

론이고 자연환경까지도 포함시켜야 한다는 이론이다.

☞ 모든 이론들을 다 끌어다 붙일 수 있기 때문에 통합이론이다.

운동의 실천에 영향을 주는 요인

개인요인	나이, 운동에 대한 태도, 과거의 운동경험, 소득수준, 교육정도, 성별, 건강상태, 병력 등이 운동을 실천하는 데에 도움이 되거나 방해가 된다.
환경요인	배우자, 가족, 친지, 지도자, 기후, 시설 등이 운동실천에 영향을 미친다.
운동특성 요인	운동강도, 부상의 위험, 운동시간, 필요한 노력, 지도자의 수준 등이 운동실천에 영향을 미친다.

1 운동실천 중재전략

운동을 실천하도록 중재하는(부추기는) 전략.

지도자	풍부한 리더십을 발휘하고, 재미있는 수업 분위기를 조성해야 한다.
집단응집력	팀의 응집력을 향상시켜서 회원들이 팀에 나오는 것이 기다려지게 해야 한다. 팀의 독특성을 살리고, 회원 각자의 위치를 확실히 정해주고, 집단의 규범을 친목을 도모하도록 만들며, 회원들의 상호작용을 장려해야 한다.
사회적 지지	다른 사람으로부터 사랑받고 있다는 인식, 편안한 느낌, 도움이나 정보를 얻는 것이 사회적 지지이다.
문화	사회 구성원들이 공통적으로 가지고 있는 가치, 관습, 규범, 규칙, 신념 등이 스포츠 실천에 영향을 미친다.

2 사회적 지지의 종류

⑧ 동반적 지지……동반자 역할을 하는 것

⑧ 정보적 지지……운동방법에 대한 안내와 조언

⑧ 정서적 지지……칭찬과 격려

⑧ 도구적 지지……운동할 때 보조자의 역할을 해주는 것처럼 실질적인 행동으로 지지해주는 것.

3 행동수정 전략

운동습관에 영향을 줄 수 있는 환경적인 요소에 변화를 주어서 운동을 지속적으로 하게 만들려고 하는 전략

⑧ 프롬프트(의사결정 단서)……포스터 붙이기

⑧ 계약하기……지도자와 운동 목표를 계약서로 작성하기

⑧ 출석부 게시……출석상황을 그래프로 만들어서 게시하기

⑧ 피드백 또는 보상 제공

4 인지 전략

⑧ 목표 설정　　⑧ 의사 결정　　⑧ 동기 유발

필수 및 심화 문제

필수문제

01 운동 참여자들의 운동실천을 촉진하기 위한 설명으로 적절하지 않은 것은?

① 운동의 과정보다는 결과를 중요시한다.
② 자기효능감을 향상시킨다.
③ 운동실천으로 인한 혜택을 개인의 상황과 특성에 맞게 제공한다.
④ 운동실천의 방해요인을 극복하기 위한 전략들을 마련한다.

■ 운동의 결과를 중요시하면 잘하는 사람은 운동을 게을리하고, 못하는 사람은 운동을 포기해버린다.

심화문제

02 운동 애착(exercise adherence)을 촉진하는 스포츠지도사의 전략으로 적절하지 않은 것은?

① 개인적인 피드백을 제공한다.
② 참여자를 위해 운동을 선택해준다.
③ 운동을 자극하는 표어나 포스터를 활용한다.
④ 친구 또는 가족과 함께 운동하는 것을 장려한다.

■ 스포츠지도사가 참여자에게 운동을 선택해주는 게 아니라, 참여자가 하고 싶은 운동을 선택하게 함으로써 운동애착(운동을 무척 좋아함)을 촉진해야 한다.

03 운동실천에 영향을 주는 요인에 대한 설명으로 옳지 않은 것은?

① 운동시설에 접근성이 좋을수록 운동 참여율이 높아진다.
② 지도자의 지도방식은 운동실천에 영향을 주지 않는다.
③ 운동참여의 즐거움이 클수록 운동 참여율이 높아진다.
④ 가족, 친구, 동료의 사회적 지지는 운동실천에 영향을 준다.

■ 지도자의 지도방식은 운동실천에 영향을 준다.

04 사람의 성격에 따라서 운동실천에 차이가 있는지에 대한 연구결과이다. 틀린 것은?

① 똑같은 강도의 운동을 하더라도 여성적인 남학생이 남성적인 남학생에 비해서 주관적으로 느끼는 운동강도(RPE)가 더 높았다.
② 5가지 성격요인 중에서 외향성과 성실성이 높은 학생은 운동실천을 열심히 했다.
③ 5가지 성격요인 중에서 정서적 불안정성이 높은 학생은 운동실천 수준이 낮았다.
④ 개인의 성격과 운동실천 사이에는 아무런 관계도 없는 것으로 나타났다.

■ 개인의 성격과 운동실천은 관계가 있다.

정답 01 : ①, 02 : ②, 03 : ②, 04 : ④

05 운동심리학의 단계적 변화 모형에 대한 설명으로 바르지 않은 것은?

① 준비 전 단계 : 현재 운동을 규칙적으로 하고 있으며 시작한지 6개월이 지난 단계

② 계획 전 단계 : 현재 운동을 하고 있지 않으며 앞으로 6개월 내에도 운동을 할 의도가 없는 단계

③ 계획단계 : 현재 운동을 하고 있지 않으나 6개월 내에 운동을 할 의도를 가지고 있는 단계

④ 준비단계 : 규칙적으로 운동을 하고 있지 않으나 1개월 내에 운동을 할 의도를 가지고 있는 단계

■ ①은 신체활동 단계에 대한 설명이다.

필수문제

06 운동을 실천하면 개인의 성격에 변화가 생기는지에 대한 연구결과이다. 틀린 것은?

① 운동을 꾸준히 실천하면 A형 행동(시간 강박증, 과도한 경쟁심, 적대감 등이 많은 사람이 보이는 행동)의 빈도가 낮아졌다.

② 운동을 꾸준히 실천하면 스트레스에 대한 심장혈관계통의 반응성이 낮아졌다.

③ 우수선수는 체력과 기술뿐만 아니라 심리적인 측면에서도 이상적인 상태를 갖고 있었다.

④ 우수선수는 불필요한 생각과 감정을 차단하지 못했다.

■ 우수선수는 불필요한 생각과 감정을 억제한다.

필수문제

07 운동이 불안과 우울증에 미치는 영향을 설명한 것이다. 틀린 것은?

① 유산소운동은 불안을 감소시키고, 고강도의 무산소운동은 불안을 감소시키지 않거나 오히려 더 높인다.

② 장기간의 운동실천은 상태불안을 감소시키고, 일회성 운동은 특성불안을 감소시킨다.

③ 유 · 무산소운동 모두 우울증의 개선에 큰 효과가 있다.

④ 우울증 개선 효과는 9주 이상 운동을 계속 했을 때 좋다.

■ **운동이 불안에 미치는 영향**
- 유산소운동은 불안을 감소시킨다.
- 고강도의 무산소운동은 불안을 감소시키지 않거나 오히려 더 높인다.
- 장기간의 운동실천은 특성불안을 감소시킨다.
- 일회성 운동은 상태불안을 감소시킨다.

정답 05 : ①, 06 : ④, 07 : ②

심화문제

08 운동과 정신건강의 관계를 바르게 설명한 것은?

■ 유 · 무산소운동은 우울증 개선에 효과가 있다.

① 규칙적인 운동은 불안의 감소와 상관이 없다.
② 규칙적인 운동은 인지능력 개선에 효과가 없다.
③ 규칙적인 걷기는 상태불안을 증가시킨다.
④ 유 · 무산소운동은 우울증을 감소시키는 효과가 있다.

09 운동의 심리적 효과를 설명한 것 중 옳지 않은 것은?

■ 불안을 감소시키는 데에는 유산소운동이 더 효과적이다. 그러나 무산소운동이라고 해서 불안을 감소시키는 효과가 없는 것은 아니다.

① 연령과 성별에 관계없이 긍정적 효과가 나타난다.
② 불안감소를 위해서는 무산소 운동만이 효과적이다.
③ 운동참여 후 스트레스 해소 효과를 느낀다.
④ 운동참여자가 비참여자에 비해 자긍심이 높다.

10 운동의 심리적 효과에 대한 설명으로 옳은 것은?

■ 장기간 운동을 하면 특성불안이 감소된다.

① 일회성 유산소 운동은 특성불안을 증가시킨다.
② 고강도 무산소 운동은 불안 감소에 탁월하다.
③ 장기간 운동이 단기간 운동보다 우울증 개선 효과가 더 크다.
④ 우울증 개선을 위해 유산소 운동보다 무산소운동이 효과적이다.

필수문제

11 보기의 사례가 의미하는 용어는?

보기
철인3종 선수 선우는 경기 중 힘이 들어 포기하려는 순간 예상치 않게 편안함, 통제감, 희열감을 느끼는 체험을 하였다. 선우는 그 순간에 시간과 공간의 장애를 초월한 느낌을 경험하였다.

① 자기 효능감
② 러너스 하이(runner's high)
③ 각성반응
④ 자기 존중감

■ 러너스 하이 : 힘든 운동을 하는 도중에 행복감 · 편안함 · 희열감 등을 느끼는 것

정답 08 : ④, 09 : ②, 10 : ③, 11 : ②

심화문제

12 러너스 하이(runner's high)를 가장 잘 설명한 것은?

① 높은 고도에서 달리기를 연습하는 것이다.
② 힘든 운동을 하는 도중에 행복감, 편안함, 희열감 등을 느끼는 것이다.
③ 운동에서 이기면 뛸 듯이 기쁜 것이다.
④ 운동 초기에 마음이 설레는 것이다.

■ 힘든 운동을 하는 도중에 행복감, 편안함, 희열감 등을 느끼는 것이 러너스 하이이다.

필수문제

13 운동의 심리적 효과에 대한 설명 중 옳지 않은 것은?

① 무산소운동은 불안 감소에 도움이 되지 않을 가능성이 높다.
② 우울증을 개선하려면 운동기간을 길게 잡아야 한다.
③ 자기존중감이 낮은 사람이 운동을 하면 자기존중감의 향상 효과가 크다.
④ 운동이 인지능력 향상에 도움이 되는 것은 청소년시기이다.

■ 성년시기에 운동을 하면 인지능력이 가장 많이 향상된다.

필수문제

14 보기는 신체적인 활동(운동)을 하면 왜 심리적인 효과가 생기는지를 설명하는 이론들이다. 틀린 것은?

보기
㉠ 열발생 가설 : 운동을 하면 체온이 상승하고, 체온이 상승하면 뇌에서 근육이완 명령을 내리기 때문에 편안해진다.
㉡ 모노아민 가설 : 운동을 하면 신경전달물질의 분비가 감소되기 때문에 정서가 개선된다.
㉢ 뇌변화 가설 : 운동을 하면 뇌의 혈관이 많아지는 등 뇌구조가 변하기 때문에 인지능력이 향상된다.
㉣ 생리적 강인함 가설 : 운동을 규칙적으로 하면 스트레스를 규칙적으로 가하는 것이기 때문에 스트레스에 견디는 힘이 향상된다.
㉤ 사회심리적 가설 : 운동을 하면 기분이 좋아질 것이라고 기대하기 때문에 위약효과에 의해서 심리적인 효과가 생긴다.

① ㉠　　② ㉡
③ ㉢　　④ ㉣

■ ㉡ 운동을 하면 신경전달물질의 분비가 증가하기 때문에 정서에 변화가 생긴다.

정답 12 : ②, 13 : ④, 14 : ②

필수문제

15 다음은 운동의 부정적인 영향을 설명한 것이다. 잘못 설명한 것은?

① 운동중독 : 통제할 수 없을 정도로 운동을 과도하게 하며, 운동을 못하면 금단증상이 나타난다.
② 과훈련 : 지나치게 훈련을 하면 우울증과 탈진을 유발할 수도 있다.
③ 식이장애 : 신경성 폭식증 또는 신경성 식욕부진증과 같은 부작용이 생기는 것이다.
④ 스테로이드 남용 : 몸에서 남성호르몬이 과도하게 분비되는 것이다.

■ 남성호르몬은 주사를 맞거나 섭취하는 것이다.

심화문제

16 지속적인 운동실천이 자기존중감을 향상시키는 것과 거리가 가장 먼 것은?

① 두뇌활동과 혈류량의 감소
② 신체에 대한 통제감의 증진
③ 신체 유능감의 향상
④ 성공감의 경험

■ 지속적으로 운동을 하면 두뇌의 혈류량이 감소하는 것이 아니라 증가한다.

17 보기는 무엇을 설명하는 것인가?

> 보기
> 스트레스에 자주 노출되면 대처능력이 좋아진다. → 정서적으로 안정된다. → 불안이 감소한다.

① 열발생 가설
② 생리적 강인함 가설
③ 모노아민 가설
④ 뇌변화 가설

■ **생리적 강인함 가설** : 규칙적으로 운동을 하면 스트레스에 견디는 능력이 향상되어 정서적으로 안정된다.

필수문제

18 보기에서 설명하는 가설은?

> 보기
> 운동이 우울증에 긍정적 효과가 있는 이유는 세로토닌, 노르에피네프린, 도파민과 같은 뇌의 신경전달물질의 변화 때문이다. 즉 운동을 하면 신경원에 의한 신경전달물질의 분비와 수용이 촉진되어 신경원 간의 의사소통이 향상된다.

① 생리적 강인함 가설
② 모노아민 가설
③ 사회심리적 가설
④ 열발생 가설

■ 운동의 심리적 효과를 설명하는 이론들 (p. 121) 참조

정답 15 : ④, 16 : ①, 17 : ②, 18 : ②

심화문제

19 아래 그림은 무엇을 설명하는 것인가?

운동으로 체온 상승	→	뇌가 근육으로 이완 명령	→	근육이 이완됨	→	편안한 느낌

① 열발생 가설 ② 모노아민 가설
③ 생리적 강인함 가설 ④ 사회심리적 가설

20 스포츠와 운동의 참여가 개인의 심리적 발달에 미치는 영향에 관한 연구주제로 적절하지 않은 것은?

① 달리기는 우울증을 조절하는가?
② 스포츠클럽 활동은 사회성과 집중력을 높이는가?
③ 태권도 수련은 아동의 인성 발달에 도움이 되는가?
④ 수영에 대한 자신감이 수영 학습에 어떤 영향을 주는가?

■ 학습에 미치는 영향은 심리적 발달이 아니다.

필수문제

21 합리적 행동 이론에 대한 설명이다. 틀린 것은?

① 개인이 운동을 하려는 의도가 있으면 운동을 하지 않고, 의도가 없으면 운동을 실천한다는 이론이다.
② 운동행동에 대하여 그 사람이 가지고 있는 생각(운동행동에 대한 태도)이 의도에 영향을 미친다. 즉 긍정적인 생각을 가졌으면 의도가 강해진다(반대이면 반대).
③ 운동행동에 대하여 주요 타자들의 생각(주관적 규범)이 의도에 영향을 미친다. 즉 주요 타자들이 운동을 권유하면 의도가 강해진다(반대이면 반대).
④ 결과적으로 운동행동에 대한 태도와 주관적 규범이 의도의 강도를 좌우하고, 그 의도에 따라서 운동을 하거나 하지 않는다.

■ 합리적 행동 이론
· 개인이 운동을 하려는 의도가 있으면 운동을 실천하고, 의도가 없으면 운동을 하지 않는다는 이론이다.
· 운동행동에 대하여 그 사람이 가지고 있는 생각(운동행동에 대한 태도), 주요 타자들의 생각(주관적 규범)이 의도에 영향을 미친다.

심화문제

22 아젠(I. Ajzen)과 피시바인(M. Fishbein)의 합리적 행동이론(Theory of Reasoned Action)의 주요 변인이 아닌 것은?

① 행동에 대한 태도 ② 주관적 규범
③ 행동통제 인식 ④ 의도

■ 합리적 행동이론에서는 개인의 의도, 그 사람이 가지고 있는 운동에 대한 태도(생각), 주요 타자들의 생각(주관적 규범)이 주요 원인이다.

정답 19 : ①, 20 : ④, 21 : ①, 22 : ③

■ 계획(적) 행동 이론
· 운동행동을 방해하는 요인을 자신이 통제할 수 있다는 자신감을 '행동통제인식'이라 한다.
· 운동행동을 하려는 의도가 있고, 행동통제인식까지 더 있으면 운동을 실천할 가능성이 대단히 높아진다.

필수문제

23 계획행동 이론에 대한 설명이다. 가장 옳은 것은?

① 계획된 운동은 하고 계획되지 않은 운동은 하지 않는다는 이론이다.
② 운동을 하려는 의도는 있지만 실제로는 운동을 하지 않는 이유를 설명하는 이론이다.
③ 운동행동을 방해하는 요인을 자신이 통제할 수 있다는 이론이다.
④ 운동행동을 하려는 의도가 있고, 행동통제인식까지 더 있으면 운동을 실천할 가능성이 대단히 높아진다는 이론이다.

심화문제

24 보기는 어떤 것을 설명하는 것인가?

보기
의도만으로는 꾸준히 운동하는 것을 예측하는 데에 한계가 있어서 행동통제인식이라는 개념을 추가한 이론이다.

① 합리적 행동 이론
② 건강신념 모형
③ 자기효능감 이론
④ 계획행동 이론

■ 계획(적) 행동 이론 (pp. 121~122) 참조

25 아이젠(I. Ajzen)의 계획된 행동 이론(theory of planned behavior)의 구성요인으로만 묶인 것은?

① 태도(attitude), 의도(intention), 주관적규범(subjective norm), 동기(motivation)
② 태도(attitude), 의도(intention), 주관적규범(subjective norm), 행동통제인식(perceived behavioral control)
③ 주관적규범(subjective norm), 자신감(confidence), 의도(intention), 태도(attitude)
④ 행동통제인식(perceived behavioral control), 자신감(confidence), 태도(attitude), 동기(motivation)

■ 행동 방해 요인을 통제할 수 있다는 행동통제인식이라는 개념을 합리적 행동이론에 추가한 것이 계획적 행동이론인데, 이것은 태도, 의도, 주관적규범, 행동통제 인식으로 구성된다.

정답 23 : ④, 24 : ④, 25 : ②

필수문제

26 보기에서 설명하는 운동심리 이론(모형)은?

보기
» 지역사회가 여성 전용 스포츠 센터를 확충한다.
» 정부가 운동 참여에 대한 인센티브 정책을 수립한다.
» 가정과 학교에서 운동 참여를 지지해주는 분위기를 만든다.

① 사회생태모형(social ecological model)
② 합리적행동이론(theory of reasoned action)
③ 자기효능감이론(self-efficacy theory)
④ 자결성이론(self-determination theory)

■ **사회생태모형**(사회생태학 이론) : 사람의 운동 실천 여부를 개인적 관점에서 찾지 않고, 사회와 국가뿐만 아니라 자연환경까지 포함시켜야 한다는 것.
■ 합리적 행동이론 →p. 121 참조
■ 자기효능감 이론 : p. 122 참조
■ 자결성 이론 : p. 122 참조

필수문제

27 프로차스카(J. O. Prochaska)의 운동행동 변화단계 이론에 대한 설명으로 옳지 않은 것은?

① 무관심 단계 : 현재 운동을 하고 있지 않으며 6개월 이내에도 운동을 시작할 의도가 없다.
② 관심 단계 : 현재 운동을 하고 있지 않지만 6개월 이내에 운동을 시작할 의도가 있다.
③ 준비 단계 : 현재 운동을 하고 있지만 운동가이드라인을 충족하지 못하는 수준이다.
④ 실천 단계 : 운동가이드라인을 충족하는 수준의 운동을 6개월 이상 해왔다.

■ 6개월 이상 운동을 하는 것은 유지 단계이다(p. 122 참조).

심화문제

28 프로차스카(J. O. Prochaska)의 운동변화단계 모형(Transtheoretical Model)에 관한 설명으로 옳은 것은?

① 변화 단계와 자기효능감과의 관계는 U자 형태다.
② 인지적·행동적 변화과정을 통해 운동 단계가 변화한다.
③ 변화 단계가 높아짐에 따라 운동에 대해 기대할 수 있는 혜택은 점진적으로 감소한다.
④ 무관심 단계는 현재 운동에 참여하지 않지만, 6개월 이내에 운동을 시작할 의도가 있다.

■ ② **인지적 과정** : 개인의 행동변화 시에 사용하는 인지 관련 기술. **행동적 과정** : 개인의 행동 관련 기술. 운동단계의 변화는 이들 변화과정이 사용된다.
■ ① 변화단계와 자기효능감은 비례관계이다.
■ ③ 변화단계가 높아지면 운동에 대해 기대할 수 있는 혜택이 증가한다.
■ ④ 무관심 단계는 현재 운동을 하고 있지 않고, 6개월 이내에 운동을 시작할 의도가 없다(p. 122 참조).

정답 26 : ①, 27 : ④, 28 : ②

29 변화단계 이론에서 5단계의 행동에 포함되지 않는 것은?

■ 변화단계 이론에서 행동은 무관심, 관심, 준비, 실천, 유지의 5단계이다.

① 관심
② 실천
③ 유지
④ 증진

30 신체활동은 일련의 단계를 거쳐 변화한다는 것을 기본적인 전제로 하는 운동행동이론은?

① 계획행동이론(theory of planned behavior)
② 건강신념모형(health belief model)
③ 변화단계이론(transtheoretical model)
④ 합리적 행동이론(theory of reasoned action)

31 보기는 변화단계 이론에서 어떤 단계에 대한 설명인가?

보기
» 현재 운동을 하고 있지만 가이드라인을 채우지 못하는 수준이다.
» 30일 이내에 가이드라인을 충족하는 수준으로 운동을 할 생각이 있다.

■ 변화단계 이론(p. 122) 참조

① 관심　　② 준비
③ 실천　　④ 무관심

■ 건강신념 모형
· 질병이 발생할 가능성이 있다는 인식과, 질병에 걸리면 심각한 문제가 생긴다는 인식이 건강행동의 실천에 영향을 미친다는 이론.
· 질병예방행동을 했을 때에 생기는 이익과, 질병예방행동을 하기 위해서 투자해야 하는 손실을 비교한 결과에 따라서 운동행동의 실천 여부가 결정된다.
■ 운동을 할 때 생기는 즐거움이나 자존감 같은 것을 설명할 수 없다.

필수문제

32 건강신념 모형에 대한 설명이다. 틀린 것은?

① 질병이 발생할 가능성이 있다는 인식과, 질병에 걸리면 심각한 문제가 생긴다는 인식이 건강행동의 실천에 영향을 미친다는 이론이다.
② 질병예방행동을 했을 때에 생기는 이익과, 질병예방행동을 하기 위해서 투자해야 하는 손실을 비교한 결과에 따라서 운동행동의 실천 여부가 결정된다고 본다.
③ 지나치게 건강과 질병에만 치우친 이론이다.
④ 대부분의 운동행동을 잘 설명할 수 있다.

정답 29 : ④, 30 : ③, 31 : ②, 32 : ④

필수문제

33 자기효능감 이론에 대한 설명이다. 틀린 것은?

① 특정상황에서 자기에게 주어진 과제를 성공적으로 수행할 수 있다는 신념을 자기효능감이라고 한다.
② 과거의 수행 경험, 간접경험, 언어적 설득, 신체/정서상태가 자기효능감에 영향을 미치고, 앞의 것일수록 더 큰 영향을 미친다.
③ 자기효능감은 행동, 인지, 정서와 모두 쌍방향으로 영향을 주고받는 관계에 있다.
④ 그러므로 자기효능감이 높을수록 운동행동을 실천에 옮길 가능성이 낮다는 이론이다.

■ 자기효능감 이론
· 특정상황에서 자기에게 주어진 과제를 성공적으로 수행할 수 있다는 신념을 자기효능감이라고 한다.
· 자기효능감이 높을수록 운동행동을 실천에 옮길 가능성이 높다는 이론이다.

필수문제

34 보기에서 설명하는 자결성 이론의 규제 유형은?

보기
외적 보상을 받으려는 욕구가 활동의 원동력이며, 외적 보상을 얻기 위해 스포츠활동에 참여한다.

① 무규제 ② 외적 규제
③ 부적 규제 ④ 내적 규제

■ 자결성 이론의 규제 유형 → p. 122 참조

심화문제

35 보기의 사례와 관련있는 데시(E..L.. Deci)와 라이언(R..M.. Ryan)의 자결성이론(self-determination theory)의 구성요인이 바르게 연결된 것은?

보기
㉠ 현우는 뛰는 것을 그다지 좋아하지는 않지만, 체중조절과 건강증진을 위해서 매일 1시간씩 조깅을 한다.
㉡ 승아는 필라테스를 그다지 좋아하지는 않지만, 개인강습비를 지원해준 부모님에 대한 죄책감 때문에 학원에 다닌다.

	㉠	㉡
①	확인규제(identified regulation)	의무감규제(introjected regulation)
②	외적규제(external regulation)	의무감규제(introjected regulation)
③	내적규제(internal regulation)	확인규제(identified regulation)
④	의무감규제(introjected regulation)	확인규제(identified regulation)

■ 자결성 이론
· 인간의 운동행동에 영향을 미치는 내적동기, 외적동기, 무동기가 일직선상에 있다는 이론이다.
· 무동기와 내적동기 사이에 있는 외적 동기를 외적규제, 의무감규제, 확인규제로 나눈다.
■ p. 122 참조

정답 33 : ④, 34 : ②, 35 : ①

■사회생태학 이론
· 사람이 운동을 실천하고 안 하는 이유를 개인적인 관점에서만 찾지 말고, 사회와 국가는 물론이고 자연환경까지도 포함시켜야 한다는 이론이다.
· 모든 이론들을 다 끌어다 붙일 수 있기 때문에 통합이론이다.

필수문제

36 보기는 어떤 이론을 설명한 것인가?

보기
» 개인의 노력과 지역사회의 노력을 모두 고려하여 운동실천을 설명한다.
» 개인의 책임과 지역사회의 책임을 동시에 반영해서 운동실천 중재 전략을 세울 수 있다.

① 합리적 행동 이론 ② 계획행동 이론
③ 변화단계 이론 ④ 사회생태학 이론

심화문제

37 사회생태학 이론에 대한 설명이다. 틀린 것은?

① 운동행동을 실천하고 안 하고는 개인적인 문제이지 지역사회나 국가가 관여할 문제가 아니라는 이론이다.
② 사람이 운동을 실천하고 안 하는 이유를 개인적인 관점에서만 찾지 말고, 사회와 국가는 물론이고 자연환경까지도 포함시켜야 한다는 이론이다.
③ 모든 이론들을 다 끌어다 붙일 수 있기 때문에 통합이론이다.
④ 사람들이 운동행동을 실천에 옮길 수 있도록 다양한 중재전략을 세울 수 있다는 장점이 있다.

■운동실천에 영향을 주는 요인 : 개인 요인, 환경 요인, 운동특성 요인

필수문제

38 운동실천에 영향을 주는 요인이 아닌 것은?

① 개인 요인 ② 환경 요인
③ 운동특성 요인 ④ 중재 요인

■중재를 한다고 해서 그 사람이 태어난 가정을 바꿀 수는 없다.

심화문제

39 중재전략을 통해서 변화시키기 어려운 것은?

① 집단요인 ② 개인적 배경
③ 심리적 요인 ④ 운동특성의 요인

정답 36 : ④, 37 : ①, 38 : ④, 39 : ②

40 **다음 중 운동실천에 미치는 영향이 가장 작은 것은?**

① 지도자의 리더십　　② 팀의 집단응집력
③ 사회적 지지　　④ 문화생활

41 **운동실천을 위한 개인 차원의 중재전략으로 보기 어려운 것은?**

① 응집력, 리더십, 사회적 지지 등이 영향을 미칠 수도 있다.
② 행동수정방법의 효과가 크다.
③ 중재전략을 전달하는 방법에 따라서도 운동실천에 미치는 영향이 달라진다.
④ 상과 벌을 제공한다.

42 **집에 돌아왔을 때 훈동화를 현관에 놓아두는 것은 다음 중 어느 것에 해당하는가?**

① 의사결정 단서　　②출석상황체크
③ 보상제고　　④ 행동단서

필수문제

43 **운동실천을 위한 행동수정 중재전략으로 적절하지 않은 것은?**

① 운동화를 눈에 잘 띄는 곳에 둔다.
② 구체적이고 실현 가능한 목표를 설정한다.
③ 지각이나 결석이 없는 회원에게 보상을 제공한다.
④ 출석상황과 운동수행 정도를 공공장소에 게시한다.

■ 행동수정 전략
운동습관에 영향을 줄 수 있는 환경적인 요소에 변화를 주어서 운동을 지속적으로 하게 만들려고 하는 전략
· 프롬프트(의사결정 단서) : 포스터 붙이기
· 계약하기 : 지도자와 운동 목표를 계약서로 작성하기
· 출석부 게시 : 출석상황을 그래프로 만들어서 게시하기
· 보상제공 : 피드백 또는 보상을 제공

심화문제

44 **운동을 실천하게 하려는 중재전략이라고 보기 어려운 것은?**

① 인지전략 : 목표설정하기
② 의사결정전략 : 의사결정 균형표 작성하기
③ 내적 동기전략 : 운동체험과 과정 중시하기
④ 인지전략 : 의미와 목적 찾기

■ 의미와 목적 찾기는 인지전략이 아니라 내적 동기전략의 하나이다.

정답　40 : ④, 41 : ①, 42 : ①, 43 : ②, 44 : ④

필수문제

45 사회적 지지 유형 중 다른 사람을 격려하고 걱정하는 과정에서 생기는 지지는?

① 정서적 지지
② 도구적 지지
③ 비교확인 지지
④ 정보적 지지

■ 사회적 지지의 종류
· **정서적 지지** : 다른 사람을 걱정하고 격려하는 과정에서 생기는 지지
· **도구적 지지** : 도구를 활용하여 다른 사람을 도우려는 과정에서 생기는 지지
· **비교확인 지지** : 다른 사람을 격려하기 위해서 경쟁자와 비교하거나 잘못된 운동수행과 비교하여 긍정적인 힘을 주려는 지지
· **정보적 지지** : 다른 사람의 운동수행을 돕기 위해 정보 제공, 피드백 등을 할 때 생기는 지지

■ 운동할 때 보조자의 역할을 해주는 것처럼 실질적인 행동으로 지지해주는 것이 도구적 지지이다.
■ **사회적 지지의 종류**
– 동반적 지지
– 정보적 지지
– 정서적 지지
– 도구적 지지

심화문제

46 사회적 지지의 종류와 그 예이다. 틀린 것은?

① 동반적 지지 : 동반자 역할을 하는 것
② 정보적 지지 : 운동방법에 대한 안내와 조언
③ 정서적 지지 : 칭찬과 격려
④ 도구적 지지 : 운동용구를 빌려주는 것

■ 목표 설정하기는 인지전략이다.
■ ①, ②, ③ 이외에 피드백이나 보상을 제공하는 것도 행동수정 전략이다.

47 운동습관에 영향을 줄 수 있는 환경적인 요소에 변화를 주어서 운동을 지속적으로 하게 만들려고 하는 전략을 '행동수정 전략'이라고 한다. 다음 중 행동수정 전략이 아닌 것은?

① 프롬프트(의사결정단서) : 포스터 붙이기
② 계약하기 : 지도자와 운동목표를 계약서로 작성하기
③ 출석게시 : 출석상황을 그래프로 만들어서 게시하기
④ 목표 설정하기 : 달성할 목표 설정하기

정답 45 : ①, 46 : ④, 47 : ④

09 Chapter 스포츠심리상담

스포츠심리상담의 정의

스포츠와 운동 상황에서 운동 참여자(선수, 지도자, 코치, 일반인)를 대상으로 심리기술훈련과 상담을 적용하여 경기력 향상 및 인간적 성장을 도와주는 중재를 말한다.

심리기술훈련	다양한 심리기법을 연습하여 심리기술을 향상시키는 것.
심리기술	최상의 수행을 할 수 있도록 심리상태를 조절하는 능력.
심리기법	심리기술을 향상시키는 방법. 혼잣말, 목표 설정, 심상, 루틴 이완 등

1 스포츠심리상담의 이론적 모형

인지재구성 모형 (합리적 정서치료 모델)	내담자의 비합리적인 신념을 찾아낸 다음 합리적인 신념으로 바꿀 수 있는 방법을 가르쳐준다.
교육적 모형	4단계로 구성된 심리기술 교육 프로그램을 내담자에게 적용한다. 1단계는 역학적 · 생리적 기능 분석, 2단계는 질문지를 이용한 선수의 심리 평가, 3단계는 개념화 및 동기부여, 4단계는 심리기술의 개발이다.
멘탈플랜 모형	내담자에게 최상의 수행과 최저의 수행을 회상시켜서 두 수행 사이의 차이를 인식시킨 다음, 최상의 수행을 할 때의 상태를 이끌어낼 수 있는 심리기법을 선정하여 연습시킨다.
최상의 상담 모형	전문적인 지식이 풍부하고 선수의 개인적인 요구에 부응할 수 있는 융통성을 가진 상담사가 최상의 상담을 제공하려고 노력한다.

2 한국스포츠심리학회에서 제시한 스포츠심리상담의 5가지 일반원칙(윤리강령 제1장)

전문성(제1조)	자신의 전문영역과 한계영역을 분명히 알아야 한다.
정직성(제2조)	성실, 정직, 공정해야 한다.
책무성(제3조)	윤리기준을 준수하고 자신의 행동에 대하여 책임진다.
인권존중(제4조)	고객의 사생활, 비밀, 자유의지에 대한 권리를 존중해야 한다.
사회적 책임(제5조)	자신이 몸담고 있는 사회에 대한 전문적/학술적 책임을 인식해야 한다.

3 한국스포츠심리학회에서 제시한 스포츠심리상담의 6가지 일반 윤리(윤리강령 제2장)

권력의 남용과 위협(제6조)	권력을 남용하거나, 좋은 평가나 소감을 요구하지 않는다.
의뢰와 위임(제7조)	고객의 이익을 최우선에 두고 상담을 진행하고, 필요한 경우 다른 전문가에게 의뢰한다.
상담비용(제8조)	상담을 동의하기 전에 상담비용을 합의해야 한다.
물품(제9조)	상담에 대한 대가로 상담료 이외의 물품이나 금품을 받지 않는다.
부적절한 관계(제10조)	고객과 부적절한 관계를 갖지 않는다.
비밀보장(제11조)	상담과정에서 얻은 사생활과 비밀유지에 대한 고객의 권리를 최대한 존중해야 한다.

스포츠심리상담의 기법

1 신뢰형성

상담 초기에 상담자와 내담자 간에 신뢰를 형성하는 것이 아주 중요하다. 신뢰를 형성할 수 있는 방법에는 다음과 같은 것들이 있다.

- ☞ 첫 상담 시 내담자가 원하는 것이 무엇인지 정확하게 파악하고, 도움을 줄 수 있다는 인상을 심어준다.
- ☞ 내담자가 상담의 효과에 대하여 긍정적인 기대를 갖도록 해야 한다.
- ☞ 상담자가 전문성을 갖추어야 한다.
- ☞ 상담자가 내담자를 평가하지 않고, 공감적이고 온화한 느낌이 들도록 해야 한다.
- ☞ 상담자는 정직하고 솔직하며, 비밀을 엄수해주고, 진지하고 개방적이어야 한다.

2 관심집중

상담자가 내담자에게 관심을 갖고 집중하는 것이 상담의 기본조건이다. 관심을 집중하는 기술에는 내담자를 향해서 앉기, 개방적인 자세 취하기, 내담자를 향해 몸을 기울여 앉기, 시선 맞추기, 긴장 풀기 등이 있다.

3 경청

내담자의 언어적 메시지(말) 뿐만 아니라 비언어적인 메시지(몸짓, 표정, 목소리 등)까지도 경청해야 한다. 경청하고 있다는 것을 내담자에게 확인시켜야 한다.

4 공감적 이해

내담자와 같은 입장이 되거나 유사하게 느끼는 것이 공감적 이해이다. 공감적 이해의 질을 높이는 방법에는

- ☞ 시간을 갖는다.
- ☞ 반응시간을 짧게 한다.
- ☞ 내담자에게 맞게 반응하도록 자신을 지켜야 한다.

필수 및 심화 문제

필수문제

01 스포츠심리 상담의 이론적 모형에 대한 설명이다. 틀린 것은?

① 인지 재구성 모형(합리적 정서치료 모델) : 내담자의 비합리적인 신념을 찾아낸 다음 합리적인 신념으로 바꿀 수 있는 방법을 가르쳐준다는 모형이다.

② 교육적 모형 : 4단계로 구성된 심리기술 교육 프로그램을 내담자에게 적용한다는 모형이다. 1단계는 역학적 · 생리적 기능 분석, 2단계는 질문지를 이용한 선수의 심리 평가, 3단계는 개념화 및 동기부여, 4단계는 심리기술의 개발이다.

③ 멘탈플랜 모형 : 내담자에게 최상의 수행과 최저의 수행을 회상시켜서 두 수행 사이의 차이를 인식시킨 다음, 최상의 수행을 할 때의 상태를 이끌어낼 수 있는 심리기법을 선정하여 연습시킨다는 모형이다.

④ 최상의 상담 모형 : 전문적인 지식이 풍부하고 선수의 개인적인 요구에 부응하는 융통성을 가진 상담사이어야 최상의 상담을 제공할 수 있다.

■ 융통성을 가진 상담사가 최상의 상담을 제공하려고 노력한다는 것이 최상의 상담 모형이다.

심화문제

02 스포츠심리기술 훈련에 관한 설명으로 옳지 않은 것은?

① 경기력 향상에 즉각적 효과를 줄 수 있다.

② 평소 연습과 통합되어 지속적으로 진행되어야 한다.

③ 심상, 루틴, 사고조절 등의 심리기법이 활용된다.

④ 연령, 성별, 경기수준과 관계없이 모든 선수들에게 적용될 수 있다.

■ 심리기술훈련은 다양한 심리기법을 연습하여 심리기술을 향상 시키는 것으로, 경기력 향상에 즉각적인 효과를 주는 것은 아니다.

03 스포츠심리상담과 관련한 설명으로 옳지 않은 것은?

① 상담은 상담자와 내담자의 상호 협력 관계에 기초한다.

② 스포츠심리상담은 인간적 성장과 경기력 향상을 목표로 한다.

③ 상담자는 상담 시작 전에 상담의 전 과정을 내담자에게 안내한다.

④ 심리기술(psychological skill)에는 루틴, 자화,심상 등이 있다.

■ 스포츠심리상담은 인간적 성장과 경기력 향상과는 관계 없다.

정답 01 : ④, 02 : ①, 03 : ②

필수문제

04 보기는 무엇을 설명하는 것인가?

보기
㉠ 내담자의 비합리적인 신념을 합리적인 신념으로 바꿀 수 있는 방법을 가르쳐준다.
㉡ 최상의 수행을 할 때의 상태를 이끌어낼 수 있는 심리기법을 선정해서 연습시킨다.

① ㉠ 합리적 정서치료 모델 ㉡ 교육적 모형
② ㉠ 합리적 정서치료 모델 ㉡ 인지재구성 모형
③ ㉠ 인지재구성 모형 ㉡ 멘탈플랜 모형
④ ㉠ 인지재구성 모형 ㉡ 교육적 모형

■ 스포츠심리상담의 이론적 모형(p. 137) 참조

필수문제

05 한국스포츠심리학회가 제시한 스포츠 심리상담사 상담윤리에 대한 설명으로 옳지 않은 것은?

① 스포츠심리상담사는 자신의 전문영역과 한계영역을 명확하게 인식해야 한다.
② 스포츠심리상담사는 상담 과정에서 얻은 정보를 이용할 때 고객과 미리 상의해야 한다.
③ 스포츠심리상담사는 상담 효과를 알리기 위해 상담에 참여한 사람으로부터 좋은 평가나 소감을 요구해야 한다.
④ 스포츠심리상담사는 타인에게 역할을 위임할 때는 전문성이 있는 사람에게만 위임하여야 하며 그 타인의 전문성을 확인해야 한다.

■ 스포츠심리상담사 윤리강령 제2장 제6조 2항 스포츠심리상담사는 상담에 참여한 사람으로부터 좋은 평가나 소감(증언)을 요구하지 않는다(윤리강령 제2장).

심화문제

06 한국스포츠심리학회에서 제시한 스포츠심리상담의 6가지 일반 윤리가 아닌 것은?

① 권력의 남용과 위협 ② 의뢰와 위임
③ 상담비용 ④ 사회적 책임

■ 사회적 책임은 5가지 일반 원칙 중의 하나이다. 권력의 남용과 위협, 의뢰와 위임, 상담비용, 물품이나 금품의 보상, 부적절한 관계, 비밀보장이 6가지 일반 윤리이다.

정답 04 : ③, 05 : ③, 06 : ④

07 한국스포츠심리학회에서 제시한 스포츠심리상담의 5가지 일반 원칙이 아닌 것은?

① 전문성　② 정직성
③ 책무성　④ 비밀보장

■ 비밀보장은 스포츠심리상담사가 지켜야 할 6가지 윤리항목 중의 하나이다. 전문성, 정직성, 책무성, 인권존중, 사회적 책임이 5가지 일반 원칙이다.

필수문제

08 스포츠심리 상담사의 상담윤리 중 바람직한 행동이 아닌 것은?

① 상담, 감독을 받는 학생이나 고객과 이성관계로 만나지 않는다.
② 알고 지내는 사람에 한해 전문적인 상담을 진행하도록 한다.
③ 미성년자 고객의 가족과는 개인적, 금전적 또는 다른 관계로 만나지 않는다.
④ 특별한 경우를 제외하고는 고객과 상담실 밖에서의 사적인 관계를 유지하지 않는다.

■ 알고 지낸 사람에게 전문적인 상담을 하는 것은 스포츠심리 상담사의 바람직한 행동이 아니다.

필수문제

09 응용스포츠심리학회(Association for the Advancement of Applied Sport Psychology: AAASP)가 제시하는 스포츠심리상담의 윤리규정이 아닌 것은?

① 평소 알고 지내는 사람(가족, 친구 등)과의 상담과정은 전문적으로 진행한다.
② 나이, 성별, 국적, 종교, 장애, 사회경제적 지위 등의 개인차를 존중한다.
③ 교육, 연수, 수련 경험 등을 통해 인정받은 전문 지식과 기법을 제공한다.
④ 내담자의 이익을 최우선에 두고 상담을 진행하며 필요한 경우 다른 전문가에게 의뢰한다.

■ 친분이 있는 사람을 내담자로 받아들이면 이중관계가 되어 전문적 상담의 성과를 기대할 수 없으므로 다른 전문가에게 의뢰하여 도움을 주어야 한다.

■ **스포츠심리상담의 6가지 윤리**
- 권력을 남용하거나, 좋은 평가나 소감을 요구해서는 안 된다.
- 고객의 이익을 최우선으로 하고, 필요하면 다른 전문가에게 의뢰한다.
- 상담 전에 상담비용을 합의해야 한다.
- 상담료 이외의 금품이나 물품을 받아서는 안 된다.
- 고객과 부적절한 관계를 갖지 않는다.
- 상담과정에서 얻은 사생활과 비밀유지에 대한 고객의 권리를 존중해야 한다.

필수문제

10 스포츠심리상담사가 가져야 할 역량이나 태도로서 합당하지 않은 것은?

① 스포츠심리상담사는 어떠한 경우에도 비밀을 지켜야 한다.
② 스포츠심리상담사는 스포츠에 관한 전문적 지식과 함께 사회 전반에 관한 풍부한 지식을 가져야 한다.
③ 스포츠심리상담사는 풍부한 대인관계 기술을 필요로 한다.
④ 스포츠심리상담사는 선수들의 표정, 외모 등의 비언어적 메시지에도 주의를 기울여야 한다.

■ 비밀을 지키는 것은 역량이나 태도가 아니고 윤리적인 문제이다.

정답　07 : ④, 08 : ②, 09 : ①, 10 : ①

심화문제

11 선수들이 지각하는 최고의 스포츠심리 상담사와 거리가 먼 것은?

① 친밀감(유대감) 형성
② 지속적인 심리훈련
③ 경기 시즌 전, 중, 후 지원
④ 선수와의 개인별 접근 제한

12 스포츠 심리상담사에 관한 설명으로 적절하지 않은 것은?

① 내담자와 일상생활에서 개인적 관계를 맺는다.
② 내담자와 공감하며 경청한다.
③ 내담자와 라포(rapport)를 형성한다.
④ 내담자의 비언어적 메시지에도 관심을 가진다.

■ 스포츠심리상담사는 고객과 상담실 밖에서 사적인 관계를 유지해서는 안 된다.

필수문제

13 스포츠심리상담의 적용과 관련된 설명으로 적절하지 않은 것은?

① 상담은 내담자와 상담자 사이의 상호 협력관계를 기초로 한다.
② 신뢰형성 기술에는 내담자 향해 앉기, 개방적 자세 취하기, 적절한 시선 맞추기 등이 있다.
③ 경청은 상담자가 내담자의 언어적 메시지는 물론 비언어적 메시지를 듣는 과정이다.
④ 공감적 이해의 증진을 위해 생각할 시간을 갖고, 반응시간을 짧게 하고, 내담자에 맞게 반응해야 한다.

■ ②는 신뢰형성 기술이 아니라 관심을 집중하는 기술이다.

필수문제

14 스포츠심리상담에서 상담자가 활용할 수 있는 기법에 관한 설명으로 옳지 않은 것은?

① 적극적 경청 : 내담자의 말에 적절하게 행동으로 반응한다.
② 관심집중 : 내담자의 말이 끝날 때까지 내담자를 계속 관찰한다.
③ 신뢰형성 : 내담자 개인의 정신적 고민이나 감정적 호소에 귀 기울인다.
④ 공감적 이해 : 내담자에게는 생각할 시간을 충분히 주고, 상담자는 반응을 짧게 한다.

■ 스포츠심리상담사는 내담자의 말을 경청하고, 내담자와 신뢰관계를 형성해야 하며, 공감적인 이해가 필요하다.

정답 11 : ④, 12 : ①, 13 : ②, 14 : ②

심화문제

15 상담기법이 아닌 것은?

① 경청
② 공감적 이해
③ 유머감각
④ 가치판단

■상담할 때 내담자의 이야기에 대해서 가치를 평가하거나 옳고 그름을 판단하면 상담 자체가 잘 이루어지지 않는다.

16 상담의 특성으로 보기 어려운 것은?

① 내담자와 상담자가 있어야 한다.
② 전문적인 지식과 훈련을 받은 상담자가 제공하는 전문적인 활동이다.
③ 상담자와 내담자 간의 상하관계에 기초를 두고 있다.
④ 의사결정과 문제해결에 관여한다.

■상담은 상담자와 내담자 간의 상호협력관계에 기초를 두고 있다.

17 스포츠심리상담자가 갖추어야 할 자질 또는 능력에 해당되지 않는 것은?

① 호기심
② 청취능력
③ 대화능력
④ 공감 및 이해능력

18 스포츠심리상담의 기법에 속하지 않는 것은?

① 관심집중
② 경청
③ 공감적 이해
④ 반박

■상담자는 내담자를 반박하면 안 된다.
■스포츠심리상담의 기법에는 관심집중, 경청, 공감적 이해, 신뢰형성이 있다.

19 스포츠심리상담사가 갖추어야 할 자질이나 태도가 아닌 것은?

① 편안하게 대화
② 통찰력
③ 동정과 사랑
④ 친밀한 관계 형성

■동정은 스포츠심리상담에서 금기시되는 사항이다.

정답 15 : ④, 16 : ③, 17 : ①, 18 : ④, 19 : ③

20 보기에서 설명하고 있는 상담기법은?

보기
㉠ 내담자의 표정, 손발의 움직임, 자세, 목소리 등을 잘 보고 듣는다.
㉡ 내담자의 느낌과 비슷한 느낌을 갖는다.

① ㉠ 경청, ㉡ 공감
② ㉠ 공감, ㉡ 경청
③ ㉠ 경청, ㉡ 이입
④ ㉠ 통찰, ㉡ 판단

필수문제

21 스포츠심리상담의 절차에 대한 설명으로 틀린 것은?

① 상담 초기에는 지도자와 선수 간의 친밀한 관계와 상호 신뢰의 형성이 중요하다.
② 상담 중기에는 상담실뿐만 아니라 훈련장이나 경기장에서도 상담이 이루어질 수 있다.
③ 상담의 후기에는 면담이나 질문지 검사를 통해 상담 초기 선수가 지닌 목표를 평가한다.
④ 상담은 자발적으로 원하는 선수에게만 실시해야 한다.

■ 상담이 필요한 선수를 대상으로 상담이 이루어져야 한다.

심화문제

22 보기의 ( ) 안에 들어가야 할 것으로 적당한 것은?

보기
상담 전 단계 → (㉠) → (㉡) → 상담종결 단계

① ㉠ 상담시작 단계 ㉡ 상담진행 단계
② ㉠ 상담진행 단계 ㉡ 상담시작 단계
③ ㉠ 안내 및 교육 ㉡ 확인 및 평가
④ ㉠ 현장적용 ㉡ 확인 및 평가

23 상담과정의 단계를 올바르게 나열한 것은?

① 통찰→탐색→실행
② 통찰→실행→탐색
③ 탐색→통찰→실행
④ 탐색→실행→통찰

정답 20 : ①, 21 : ④, 22 : ①, 23 : ③